「すぐに領主に取り次げ！
そしてこの店の商品を
格安価格でうちに卸せ。
その後、この店はうちが
吸収合併してやる。
お前達はうちの店に戻って、
以前と同じように働かせてやる！」
（（（あ～……）））
到底、受け入れられるはずのない要求。

「う……、こ、ここは……」
商会主が目覚めると、
そこは見たことのない
場所であった。
白く薄い、ひらひらした衣服を纏い、
背中に純白の翼を付け、頭の上には
ぴかぴかと光が明滅する
輪っかを浮かべた、ふわふわした
感じの優しそうな少女。
その少女が、両手を羽ばたくように
動かしながら、踊っていた。
……変装して顔を変えた、恭子である。
「……天使様？
てっ、天国なのか、
ここは？」

「目が覚めたようね」
そして、凶悪な目付きをした少女が、死角となっていた自分の頭上方向からいきなり顔を覗き込んできた。
「……くっ、やはり地獄だったか!!」
「じゃかましいわっ!!」
「ちょ、
げえ〜メカ
ペロイッ

CONTENTS

第七十一章 ✷ 商会バトル P7

第七十二章 ✷ トレーダー商店 P102

第七十三章 ✷ クルト商会 P159

第七十四章 ✷ きれいな商会主 P230

第七十五章 ✷ 貴族からの接触 P246

書き下ろし その1 ✷ 子供達の休日 P271

書き下ろし その2 ✷ KKR P279

DANOMI DE IKINOBIMASU

ポーション頼みで生き延びます！ 9

DESIGN:
MUSICAGOGRAPHICS

第七十一章　商会バトル

　ムーノ達３人は、頭を下げてドレインからは見えなくなった顔を、にやりと歪めた。

　いくら雇い主に忠誠を誓うとはいえ、それは雇い主が『忠誠を捧げるにふさわしい者であれば』の話である。

　おそらくドレインは、ムーノを一時的に降格させて次男の下に就かせ、次男が王都本店に戻る時に元の支店長に戻すつもりだったのであろう。

　それをあの次男は、真面目なムーノ達に色々と口出しされるのを嫌がり、上層部を自分の取り巻き達で占めてやりたい放題にするためにムーノ達をヒラの従業員にまで格下げし、絶対の忠誠を誓わせようとした。……自分達の代わりに働かせ、使い潰すために。

　レリナス商会を敵に回せば、この国で商家に就職できる可能性はなくなるし、畑違いの仕事に就こうとしても、いくらでも嫌がらせができる。なので辞めるようなことはあり得ない、と考えて。

　そして商会主のドレインは、この件に関しては別にムーノ達に悪意を示したわけではなく、全て次男の独断であったのだろう……。

　なので、もしドレインが、救済措置としてムーノ達を本店で再雇用すると言ったならば。

もしドレインが、ムーノ達に退職金や慰労金、謝罪金、それら何らかの名目で金貨の数十枚でも渡していれば。

ムーノ達は、レリナス商会自体やドレインに対しては別に含むところがあるわけではなく、本店に対しては穏便な対処をすることも考えていた。

……しかし、ドレインはムーノ達に対して何らかの手を差し伸べることなく、お金のかからない、軽い謝罪の言葉を口にしただけであった。

次の働き口を世話するとも言わず、紹介状を書くとも言わず、詫び金も出さず……。

それは、ムーノ達にとって今までの恩義よりも『裏切られた』という思いの方が大きくなり、レリナス商会とドレインに愛想を尽かし、見限るのに充分な行為であった。

なので、ムーノ達は当初の予定通りに行動した。

これから先のために、『ムーノ達に非はない』ということの証明書を手に入れる。

後で、いくら文句を言われようが平気で無視できるように。

レリナス商会からの誹謗中傷により他の商人達から非難された場合、信義を踏みにじったのはどちらかということをはっきりと示せる証明書を手に入れるという、当初からの計画の通りに……。

ムーノ達は、真面目で誠実ではあっても、決して馬鹿でも腰抜けでもなかった。

なので、自分達を裏切ったり、馬鹿にしたり、……そして使い捨ての道具とした者達に尽くすつもりなど欠片もなかったし、腹を立てていないわけでもなかった。

それでも、普通であれば我が身可愛さで、保身のためにおとなしく泣き寝入りしていたであろう。

……しかし、もし力があれば。

地方領主である伯爵家と、その領地の代表的な商家3つ。そして、遠方の国から高価で珍しいものをどんどん取り寄せて安く卸してくれる、遣り手の貴族の少女達。

それらがバックアップしてくれ、珍しい商品と豊富な資金を提供してくれるなら。

……勝てる。

このようなチャンスを目の前にぶら下げられたなら、泣き寝入りする必要はない。

勿論、危険を避けて、どこかの商店に雇ってもらいコツコツと始めからやり直す、という道を選ぶのもいいだろう。特に、妻子持ちで危険は冒せないという者とかは。

しかし、独身であり身軽なムーノ達は、勝負に出ることを選んだ。

一度しかない人生、裏切られて踏みつけられたのに、我慢してお愛想笑いして卑屈に生きていかなければならない理由はない。

そしてムーノ達は、ドレインから書付を受け取ると、頭を下げ、お礼を言ってから辞去した。

うむうむ、と満足そうに頷く元雇い主を後にして……。

＊　　＊

「予想通りの展開でしたね」

「ああ……。もし誠意を見せてもらえれば、旦那様と長男のラサル様には便宜を図ろうかと思っていたのだが、その必要はなさそうだな」

「はい。恩義には恩義をもって返し、礼には礼をもって返す。返すべきものを与えられず使い捨てにされたならば、何も配慮する必要はないでしょう」

「ああ、私もそう思う」

ふたりの部下も、ムーノと同じ考えのようであった。

これで、ターヴォラス商会と、その王都支店の営業方針は決まった。

あとは、不動産屋で店舗を確保し、商業ギルドに届けを出し、……そして従業員の募集と店の内装を整えるだけである。

……今頃は、既にターヴォラスの本店では商品発送の準備が進められているはずであった。

ターヴォラスの特産品を始めとした普通の商品と、『リトルシルバー』から提供される、遠い異国から運ばれた目玉商品の数々が……。

この３人は、本店に残してきたひとりも含め、ターヴォラス支店に派遣されるまでは王都のレリナス商会本店でバリバリ働いていたのである。なので王都にはその頃のお得意様や取引相手、懇意にしていた者達が大勢いるし、商業ギルド等にも顔が利く。

そう、今から慣れない仕事を始めるのではなく、やり慣れた、伝手（つて）やコネのある仕事を再開するだけであった。

仕入れ先も、売り先も、大店が扱う商品の相場価格も熟知しており、自分が誠実な商人であることを知ってくれている取引相手との商売。

そして、本店から安めの価格で送られてくるターヴォラス産の商品と、『リトルシルバー』経由の稀少な輸入品。

そしてここには、抱き合わせ販売を禁止する規則などない。

数日後、支店の店舗と従業員の確保の目処が立ったのを見届けて、ムーノは後のことはふたりに任せ、ひとりで王都を後にした。

＊　　　＊

「王都支店は目処が立った、と……。

それじゃあ、3日後くらいに荷を発送しようか。それなら、荷が着く頃には受け入れ態勢も整っているだろうし。

ま、念の為、第一弾は傷まないものにしとこうかな」

戻ってきたムーノさんからの報告を聞いて、そう判断した。

まあ、『リトルシルバー』からの商品は、元々大半が『あまり傷まないもの』だけどね。

そりゃそうだ。ここで加工した日保ちする食品と、遠い祖国から送られてきた品々なんだから、そんなに傷みやすいものがあるわけじゃない。

一番傷みやすいものが、干物とかのうちの、完全にカラカラにはしていないやつだ。

この手のやつは、王都には回さない。

干物は、思ったよりは傷みが早いのだ。冷蔵庫でも、冷凍じゃなければ、2週間くらいしか保たない。なので、真空パックも冷蔵設備もないここでは、危険は冒せない。

ムーノさんが不在の間、レリナス商会ターヴォラス支店の支店長が何度も新興商家『ターヴォラス商会』に押しかけて来たそうだけど、毎回『商会主が不在ですので……』で相手にしていなかったらしい。

……勿論、ムーノさんが事前にそう教育しておいたので……。

新支店長は、自分の着任当日に辞めた一般従業員の顔なんか知っているはずもなく、その点では揉めることはなかったらしい。うむうむ。

領主様も、まだ会っていないそうだ。

新支店長が一度、邸から出た領主様に突撃しようとしたらしく、危うく護衛の者に斬り捨てられるところだったとか……。

それ以来、領主様のところへは行っていないらしい。外出中の領主様や領主邸に近付くと、護衛や警備の者が剣の柄に手を掛けるらしいから。

結局、領主様経由の仕入れも、その他の普通の売買も、今までレリナス商会のターヴォラス支店がやっていたことは全て、ムーノさん達が立ち上げた新興商家であるターヴォラス商会本店がそっくりそのまま引き継いだような形らしい。

そりゃ、取引担当者が全員移籍して、取引条件が以前より良くなったんじゃあねえ……。

レリナス商会に残ったのは、使えない者、態度が悪い者、強引な値引きの強要とかで取引先に嫌われている者とかばかりだからね。

家族がいるため冒険を避けて移籍しなかった人達も、さすがにこの状況ではヤバいと思ったのか、ほぼ全員が移籍を願い出てきたらしい。

これで、レリナス商会の支店に残るのは、王都から来た次男とその取り巻き以外では、本当に使えなくてムーノさんが声を掛けなかった連中だけになるらしい。

……その連中からも移籍のお願いが来ているらしいけれど、勿論、それらは全部断っているらしい。受け入れるのは、最初にムーノさんから移籍を打診された人達だけ。

当たり前だ。

何が悲しゅーて、腐っているのが分かっているミカンを、わざわざ自分のミカン箱の中に入れなアカンねん、ってことだ。

レリナス商会のことは、もういいか。

あとは、ムーノさん達、ターヴォラス商会が普通に機能してくれれば、それでいい。

店同士の確執があったとしても、それは商売上のことだし、ムーノさんの所掌範囲だ。

レリナス商会が非合法手段に出ようとしても、この街で『リトルシルバー（わたしたち）』とその関係者に手出ししようとするチンピラ達はいないから、人を雇うのもうまくいかないだろうし、他の有力商家や領主様もこっち側なんだから、権力者や商業ギルドに手を回して、とかいうのも不可能だろう。

……うん、先は厳しそうだな、レリナス商会ターヴォラス支店……。

＊　　＊

「よし、他のルートを開拓するぞ！」

苦境に陥り、困り果てていたレリナス商会ターヴォラス支店長のローディリッヒが、突然そんなことを言い出した。

「……他のルート、ですか？」

そして取り巻きのひとりが、怪訝(けげん)そうな顔でそう聞き返した。

この街は、港町であり海産物が豊富であること、そして最近領主経由で出回り始めた高価で珍しい商品……おそらく、船によって遠国から運ばれていると思われる……の他は、どこにでもある商品しかない、普通の街である。

なので、地元や周辺の領地で消費されるものの売買で普通に稼ぐ他には、そのふたつ、海産物と遠国からの輸入品を王都に運んで大きな利益を得ることが、王都の本店、つまり商会主であるドレインの狙いであった。

普通の品……小麦とか穀物、野菜、肉類……は、輸送に時間と経費が掛かる上、生鮮品は傷む。

なので、それらはなるべく消費地である王都の近くで入手すべきものであり、このような地方都市で大量に買い付けるようなものではなかった。

なのに、海産物も輸入商品も、その流通ルートに全く食い込めない。

それどころか、地元で消費する一般商品ですら、殆ど参入できない。自分が赴任する以前は、ごく普通に取り扱っていた品々なのに……。

全て、ムーノ達が悪い！

当然のことながらそう考え、何度もムーノ達が立ち上げたターヴォラス商会……ほぼ全てがレリナス商会の支店から盗み取った従業員と顧客による、商売人としての、そして長年世話になった大恩ある雇い主に対する信義に反する大悪党共の店……に怒鳴り込んだが、軽くあしらわれた。

不法行為だと商業ギルドに訴え、警備隊にも通報したが、共に門前払いを喰らった。

そういう状況で、追い込まれ焦っていたローディリッヒが、起死回生の策を思い付いたかのようにそう言い出したのであるから、取り巻き達はやや期待はしているものの、そのような美味い話があるものかと、少し懐疑的になるのも無理はない。

しかしこのままだと、自分達は『順調だった支店を一瞬で壊滅状態にして大損害を与えた、無能者達』ということになり、ローディリッヒの次期商会主の目がなくなる。

そうなると、今までローディリッヒに取り入っていた努力が全て無になるどころか、ローディリッヒの取り巻き達は自分の敵だと認識しているであろう長男のラサルが跡継ぎに決定した瞬間、自分達の居場所はなくなる。

ここは、僅かな可能性にも縋りたいところであった。

「そうだ。王都にいる時、とあるルートで入手した情報のひとつだ。

ある街で、小さな新興の商店が色々と珍しい商品を扱っているらしい。店主がまだ若い女性らしく、世間知らずの甘ちゃんだとか……。

街の奴らは少女の後ろ盾……、親が怖くて腫れ物のように扱っているらしいが、そんなもの、俺達には関係ない。

うまく取り入って商品をうちが卸値で独占し、以後もうちが全ての商品を買い取れるよう契約できれば……。

何、向こうにも利益は出るし、仕入れた商品が全て売れるわけだから、互いに損のない取引だ。向こうは、仕入れ量を増やせば更に儲(もう)かるわけだしな！」

ローディリッヒは、自信たっぷりにそう言うが……。

「その街には、王都の店は進出していないのでしょうか？」

取り巻きのひとりが、そう尋ねた。

そう、この街、ターヴォラスに支店を置いている王都の大店がレリナス商会ひとつだけであるのと同じように、地方の都市には複数の大店が支店を置くことは滅多にない。

それは、市場規模が小さいところに複数の店が支店を置いて共倒れになるということを回避するための、王都に本店を持つ大店(おおだな)同士の暗黙の合意事項であった。

そのため、別に正式な取り決めや条例があるわけではないが、そういう『一都市一支店』の街においては、他の大店による事前の挨拶や納得できる事情説明もなしに『市場を荒らす』という行為は、大きな問題となる可能性があった。

「……ホークス商会の支店があるそうだが、問題ない。別にうちの支店を作るとか、大々的に乗り込んで商売を始めるとかいうわけじゃないんだ。

ただ、ひとつの店から商品を仕入れるだけで、売るのは王都だ。そこの支店に迷惑を掛けるわけじゃない」

「「「…………」」」

若干、心配ではある。

しかし、それに反対できるような状況ではなく、同意するしかない取り巻き達であった……。

＊　＊

「……レリナス商会？」

アポ無しで突然店に来た男達の、挨拶に続く事情説明に、首を傾げる恭子（サラエット）。

「はい。私は王都に本店を持つ大商会、レリナス商会の跡取りである、ローディリッヒと申します。

今は、商会を継ぐための準備期間として、ターヴォラスという街で支店長をやっております。

今回お伺いしましたのは、是非当支店との取引をお願いしたく……」

若い女性だとは聞いていたが、予想していたよりも更に幼く、まだ成人しているとは思えない小娘であった。人の良さそうなふわふわとした印象で、……そしてかなり容姿が整っている。

情報によると店舗は一括購入であり、小娘に惜しげもなくポンと店と開業資金を与えるということは、親はかなりの資産家だということになる。

世間知らずのお嬢様、そして高価なものや珍しい商品の購入ルート。

自分であれば、小娘など簡単に手玉に取れる。

上手（うま）くすれば、取引だけでなく、もっと色々なことができるかも……。

そう考え、心の中でほくそ笑むローディリッヒであるが……。

「あれ？　レリナス商会ターヴォラス支店の支店長は、ムーノさんだったはずじゃあ……」

「え？」

「いえ、あそこの支店長さんは、ムーノさんですよね？」

甘く見ていた少女店長の思わぬ指摘に驚いたローディリッヒであるが、それはただ単に、この少女が持っている情報が少し古かっただけのことである。

他店の地方都市にある支店の情報まで持っていることには少々驚いたが、ただそれだけのことであった。

「ああ、先日交代したのですよ。私が王都の本店から赴任し、新たに支店長となりました。
是非、うちとの取引を……」
しかし、ローディリッヒの言葉に首を傾げる恭子（サラエット）。
「でも、この街での王都に本店を持つ大店との取引は、この街に支店を持っているホークス商会が取り纏(まと)めているんじゃあ……。確か、商工ギルドのギルドマスターさんがそう言っていたような気が……」

「いえいえ、別にそういう規則があるわけではありません。全ての大店が全ての町村に支店を置くことはできないため、何となくそうなっているだけでして……。良い取引先があれば、取引を行うのは商人としてごく普通のことですよ！」

恭子(サラエット)の疑問の言葉に、一瞬、マズい、という顔をしたローディリッヒであるが、小娘くらい簡単に丸め込めると思ったのか、適当な説明をした。

しかし、恭子(サラエット)は性格はともかく、馬鹿ではなかった。

それに、もし本当に支店長が代わったならば。そしてそこが選(よ)りに選(よ)って自分の店に接触しようとしたのであれば、カオル達が必ず知らせてくるはずである。

前回の定休日は、商工ギルドの寄り合いやら従業員との親睦お茶会等があったため、『リトルシルバー』には戻っていない。なので少し期間が空いているが、重要なことがあれば、通信機による連絡が来るはずであった。

それが来ていないとなると……。

そしてそもそも、ちょくちょく『リトルシルバー』に戻る恭子(サラエット)は、レリナス商会の支店の者達と面識がある。

その自分が、『サラエット』として支店の者と会うようなことを、カオルとレイコが看過するはずがなかった。

サラエットやトレーダー商店と『リトルシルバー』、いや、ターヴォラスの街との関わりすら、知られるわけにはいかない。

いくらポーションと光学的偽装ブレスレットで変装しているとはいえ、ついうっかりとターヴォラス特有のことを口にしてしまったりと、ボロを出す可能性は常に付きまとう……。

などと考えている恭子（サラエット）であるが、まさかカオルとレイコが、『自分達の目が届かない状態の恭子（きょうこ）に、余計なことを教えては駄目だ』などと考えているとは、思ってもいなかった。

「すみません、少々お待ちを……。

お茶と茶菓子をお出しして！」

従業員にそう指示すると、恭子は席を外して２階へと上がっていった。

まだ店先で挨拶しただけの状態であり、立ったままであったローディリッヒと連れの男達は、従業員に商談用のテーブル席へと案内されて、腰掛けた。

そして数分後。

戻ってきた恭子（サラエット）は、期待に満ちた目のローディリッヒ達に、非情の宣告を行った。

「皆さんの前支店長達に対する不義理と、支店の窮状を確認しました。商人としての義理を欠く人達や、潰れそうな店との取引は致しませんので、どうぞお引き取りを」

「え……」

なぜ、ターヴォラスから離れたこんな街に、そんなに正確な情報が流れているのか。

そして、どうしてこの少女がそれを知っているのか。

愕然（がくぜん）としたローディリッヒの頭の中に、そんな疑問が流れていた。

そして恭子（サラエット）は……。

（さっさと支店が潰れて、この連中にターヴォラスから消えてもらわないと、この姿で会ってしまった私が、安心して『リトルシルバー』に戻れないじゃないの！）

と、少し不愉快になっていた。

「では、お話はこれまで、ということで……。さ、お引き取りください」

恭子（サラエット）がそう言って席を立ちかけると……。

「ま、待ってください！　それは、根も葉もない噂（うわさ）、デマです！　ムーノ達は不正行為をしでかしたため、懲戒解雇に……」

「ほほぅ、レリナス商会は支店の管理もできない無能な商会である、ということですか？　それとも、長年働いてくれた従業員の悪口を触れて廻（まわ）る、素敵な商会なのかな？

では、うちの手の者をターヴォラスに遣って事実確認をさせましょうか？　お話はそれから、ということで……」

「うっ……」

今度は、席を立つ恭子（サラエット）を止める声はなかった。

＊　　＊

「あはは、御苦労様。それじゃ、またね！」

通信機による恭ちゃんとの連絡を終え、紅茶のカップに口を付ける。

交信は外部スピーカーモードにしていたため、レイコも一緒に話を聞いていた。

「しかし、まさか恭ちゃんのトレーダー商店に取引を持ち掛けるとは……。

確かに、あそこはうちと同じコンセプトでもっと手広くやっているから、まあ、うちの上位互換と言える店だからねえ。領主様経由でのうちとの取引を失った代わりに、というにはベストチョイスで、その判断は正しいんだよね。

よくトレーダー商店のことを知っていたと感心するし、支店長自ら出向くというところも、如才(じょさい)無くていい判断だと思うよ。

性格や従業員に対する態度、考え方とかを除けば、商人としてはそう才覚がないというわけでもないのかな……」

「性格と態度、それに考え方が悪ければ、商人としての才覚なんかあるものですか！」

……それもそうか。納得。レイコの言う通りか……。

「……しかし、既に王都にまでトレーダー商店(恭子のお店)の情報が流れていたのは、予想外だったわね。

恭子がいるのは、辺境都市であるここターヴォラスより小さい、ごく普通の田舎町なのに……」

うん、そこは私もちょっと驚いた。

トレーダー商店自体は、王都とはまだ取引していないのだから。

Out

あの街に立ち寄った商人か、恭ちゃんのところで買った商品を王都に流して転売したところからでも情報を仕入れたのかな……。

あの街に支店を出している大店経由、って線は薄いか。

大店の商人が、ライバルの商会にそんな情報を流すはずがない。

「まあ、文明はあまり進んでいなくても、その業界でトップの人達は結構遣り手だし、決して頭が悪いってわけじゃないからねぇ。いくら文明的に劣っている世界の人であっても……。ソクラテスやレオナルド・ダ・ビンチより頭がいいと公言できる日本人が、果たして何人いるかと……」

「確かに……」

レイコも、私の考えに同意してくれた。

うん、私達には現代知識があるけれど、知識は、所詮ただのデータに過ぎない。

策略、謀略、頭脳戦、心理戦となると、この世界の専門家には到底敵わないだろう。

私達はただ、チート能力で力押ししているだけだ。

それじゃあ、いつか足を掬われる。

宗教関連にも、気を付けよう。アイテムボックス前に酷い目に遭ったのも、宗教絡みだったし……。

「何重にも変装することにしておいて、良かったわね。

でも、安全策として、しばらく恭子の帰還は無し、かしら……」

「うん、何が引き金になってボロが出るか分からないからね。恭ちゃんには悪いけど……。

だから、さっさとこの件を片付け（レリナスの支店を潰し）て、『サラエット』としての恭ちゃんと会った次男坊と取り巻き連中を王都へ追い返さなきゃね！」

レリナス商会の支店は、放置しておいて勝手に自滅するのを待つつもりだったけれど、それじゃあ時間が掛かって恭ちゃんに申し訳ない。

だから、専守防衛ではなく、積極的攻勢に出ることにしよう。

勿論、商人らしいやり方で……。

＊　＊

「どうしてそんな噂が流れるのだ！」

情報を伝えに来た手代を怒鳴りつける、レリナス商会の商会主、ドレイン。

しかし、ただ市井（しせい）で集めた情報を伝えただけなのにそう言われても、手代には返事のしようがない。

勿論ドレインにもそれくらいのことは分かっているが、これが怒鳴らずにいられようか。

何しろ、手代が持ってきた『市井に流れている情報』というのが、これである。

『レリナス商会の次男坊が、任された支店を僅か1日で潰したらしい』

『着任と同時に前任の支店長以下首脳陣を全員クビにして従業員を奴隷扱いすると宣言したら、従業員の大半に辞められて事業の継続ができなくなったらしい』
『領主様や他の商人達は勿論、領民も誰も相手にしていないらしい』
『その支店と取引があった商人達は、みんな取引先を他の店に代えたらしい』
『もう、レリナス商会にはその街の特産品は入荷しないらしい』

……そして事実、ターヴォラス支店から定期的に送られてきていた商品は、数日前から届かなくなっていた。

「ぐぬぬ……」

これでは、ターヴォラス支店における損害と信用の失墜はともかく、次男ローディリッヒを後継者にすることはできない。

元々、正妻の子であり長男、そして真面目で実直なラサルを後継者にすることが当然なのである。

だから、妻の実家からの反対を押し切って第二夫人（妾（めかけ））との子である次男を後継者にすべく、手柄を挙げさせるために、業績の大幅な向上が確実……というか、既に向上しているターヴォラス支店を任せ、最初からの全ての功績を次男のものとする予定だったのである。

それが、まさかの『次男の馬鹿な行いのせいで、順調だった支店が赴任後たった1日で壊滅』という噂の爆発的な広まり……。

「……しかし、ローディリッヒからは『無事、着いた』という連絡が来ただけで、その後は何の報告もないぞ！　いったい、どうなっておるのだ？

それに、噂が広まるのが早過ぎる！　まるで、誰かが意図的に広めたかのように……。

ムーノ達は殊勝な態度であり、とてもそのようなことをしそうにはなかった。

それに、これから新しい雇い主を探そうというのに、うちを敵に回したり、前の勤め先の悪口を触れて廻るような馬鹿な真似はすまい。元々、真面目な奴らであったからな……。

ムーノ達は、自分から辞めたのではなく、ローディリッヒに解雇されたわけであるから、それによって支店に問題が生起したとしても、それはムーノ達のせいではない。

……となると、ラサルを担ぎ上げようとしている連中の仕業か？

いや、それにしても、レリナス商会の名が落ちて信用を失うようなやり方をするとは思えん……。

ライバル商会の仕業か、中小の商会による嫌がらせか、それとも単なる『大店の失敗を面白おかしく触れて廻って喜ぶ連中』の恰好のネタにされただけなのか……。

くそぅ……」

＊　＊

さて、噂も充分広まっただろうし、あとはムーノさんのところの王都支店が色々と頑張ってくれるのに期待するか……。

私が恭ちゃんの搭載艇で王都まで運んでもらい、一日中王都のあちこち……商業ギルドの待合室とか、そこそこ裕福な人が行く高級料理店とか……で適当な話し相手を捕まえて、大きな声で面白おかしく喋（しゃべ）りまくった、某地方都市での出来事。

　こんな面白く痛快なネタ、広まらないはずがないよね。

　恭ちゃんは、夜明け前に『リトルシルバー』で私を拾い、王都まで送ってくれる。そして夕方、暗くなってから『リトルシルバー』へ送り届けてくれるだけで、ターヴォラスにも王都にも滞在しない。

　ただのタクシー役だ。

　万一、ターヴォラスで次男一味と出会うといけないからね。

　いくら変装していても、身長や体格はそのままだし、喋り方や癖（くせ）、全体的な雰囲気や失言とかでボロを出すかもしれないから、慎重を期すのは当たり前だ。

　それに、恭ちゃんはあまりお店を休むことはできないし。

　さすがに、1日丸々不在にして孤児院の子供達に任せっきり、というのは心配らしい。

　ま、高額商品を置いている店に孤児院の子供だけで店番、というのは、誰がどう考えても無理がある。この街（ターヴォラス）ならばまだしも、治安状態が（普通の）悪い街じゃあねえ……。

　レイコは、『リトルシルバー』で留守番。

　恭ちゃんがいないと搭載艇が飛ばせないし……一応、万一に備えて簡単な動かし方は教えてもらったけど、余程の事態でない限り、自分で操縦するなんて怖いことはしない……、恭ちゃんが子供達と留守番するのは、もっと怖い。

適材適所というのは大事だ、うん。

とにかく、これで私達の出番は終わった。

あとは、ムーノさんとその仲間達、ガンバ！

＊　＊

「何？　ムーノ達が商会を設立した？」

ムーノ達が挨拶に訪れてから数日後。レリナス商会の商会主であるドレインは、番頭のひとりが知らせてきた情報に、軽く片眉を上げた。

「まあ、あの４人であれば、小さな商会を立ち上げることくらいはできるか。うちで色々と教え込んでやったし、実務経験も充分、取引先には顔馴染みの者もいるであろう。どこかに雇われるかと思っていたが、それはそれでいいだろう。自分達で店を経営するとなれば、尚更レリナス商会にたてつくことはできまい。おとなしくしているならば、少しは取引してやらんこともない。

経営状況が思わしくないようならば、知らせろ。少しくらいは助けてやろう。

何せ、長年に亘り真面目に働いてくれた者達だからな。ローディリッヒのために割を食わせたが、別にムーノ達が悪いわけではない……」

元従業員に対する、慈愛の心。

ドレインは、優しい商会主としての自分の言葉に、少々酔っていた。

勿論、取引してやるとはいっても、別に価格面で優遇してやるつもりはない。

それどころか、少し買い叩いてやるつもりである。

それでも、向こうにも多少の利益が出るであろうし、商品が回ればひと息吐ける上、店としての知名度も上がり、互いのメリットとなる。それにレリナス商会と取引しているとなれば、円満退職でありレリナス商会側も悪くは思っていない、ということの証明となる。

ドレインは、決して善良な商人とは言えないが、自分に忠実な者にはそれなりに配慮してやっていた。

そしてクソ真面目で青臭い正義論を振りかざすムーノ達のことは、煙たくは思っていても、決して嫌っていたわけではなかった。

ただ煙たいだけであり、ムーノ達は自分達なりに店のためを考え、ドレインには忠誠心を持ってくれていることを知っていたからである。そしてそういう者も店にとっては必要であるということも理解していた。

なので、適材適所と、自分の側から遠ざけ、自分を裏切らない正直者が必要である遠隔地の支店長の座を任せたのである。

「はい、分かりました。

まあ、彼らであれば、独力で何とかやれるとは思いますが……」

この番頭も、支店を任されていたムーノ達のことは知っていたらしく、商会主のドレインが彼らを悪くは扱わないらしいと知り、笑みを浮かべていた。

辞めた者であっても、従業員のことを大切にしてくれる。

店の者達が、多少の悪いところはあってもドレインに忠誠を誓う理由のひとつである。

やはり、大店の商会主というのは、それなりに立派な人物であるらしい。

＊　＊

「……何？　ムーノ達の店がターヴォラスの商品を扱っているだと？　レリナス商会にはあれから入荷がないというのにか？」

「はい。ローディリッヒ様からは、あれから何の御連絡もなく……。お怪我や御病気等でないことは、同行しました者達が家族に宛てて出しましたプライベートな文により判明しております」

「ぬう……。」

ローディリッヒの奴が連絡を寄越さないのは、王都で広まっている噂の内、ほんの2～3割でも本当であったならば、無理のないことだろう。

その場合、何とか顔の立つ程度まで状況を改善してからでないと、とても報告など出来まいからな。

……しかし、ムーノのところがターヴォラスの商品を扱っているというのは、聞き捨てならん。勤め先を辞して独立する場合、主人から御祝儀代わりにと渡された場合を除き、前職でのお得意先を自分の店に引っ張るのは、商人の世界では許されざる忘恩の行為。

しかもそれが前職場に大きな損害を与えているとなると、これはもう、我がレリナス商会に対する裏切り行為であろう。

ムーノの奴め、真面目で正直な者と思い引き立ててやったというのに、まさかそのようなことをするとは……。

おい、誰か、儂（わし）の使いとしてムーノの店へ行け！」

＊　＊

「……そのようなことを言われましても……。

ここはターヴォラス商会の王都支店に過ぎず、私はただの雇われ支店長。そしてこの者は、同じくただの雇われ支店長補佐に過ぎませんので、そのようなお約束は致しかねます。

そういうお話は、本店の商会主様に言っていただかないと……」

「え？」

「それと、そもそも、当商会がレリナス商会ターヴォラス支店のお得意先を奪った、というのが、誤解です。

当商会は、設立資金の数割をターヴォラスの領主様が拠出されております。

つまり、この商会はターヴォラスの領主様のもの、と言えます。

そして貴商会のターヴォラス支店が仕入れておりましたターヴォラスの特産品は、王都へ廻す分として、領主様が地元の商会に廻す分と均等に割り振って卸してくださっていたものです。

そして今、領主様が王都で販売するための御自分の商会をお持ちになったというのに、わざわざ他の商会に商品を廻すとお思いになりますか？　利益が、その商会の王都にある本店に吸い取られ、自領には何も還元されないというのに……。

そう、うちは領主様と取引しているのではなく、うちが領主様の『王都に自領の商品を売るために設立した、自分の商会』なのですよ。

なので、顧客を奪った、というのは完全に的外れですし、どう説得しようが、領主様が他の商会に商品を廻すはずがないでしょう？」

「え……、えええええ!!」

驚愕(きょうがく)の事実を知り、愕然とする、レリナス商会からの使いの番頭。

そう、たとえ数割とはいえ、領主が自ら出資しているならば、その商会（の一部）は、領主のものだと言える。

支店長の言い方から、使いの番頭は、ターヴォラス商会のオーナーは領主様であり、ムーノはただの雇われ店長に過ぎないのだと誤解した。

……勿論、支店長がそう思われるようにと言葉を選んで説明した通りに……。

＊　　＊

「何だと！」

使いの番頭からの報告に、思わず怒鳴り声を上げてしまったドレイン。

「それでは、どうしようもないではないか……。いくらローディリッヒが頑張ろうが、もうターヴォラスの品は取り扱うことが出来ん。

もし多少の商品を手に入れられたとしても、領主直営の店と同じ価格で売っては今までのような儲けにはならんし、地元の店の支店があるというのに、わざわざうちの店で買う者がいるとも思えん……」

そう、たとえ同じ価格であったとしても、地元に本店がある店、しかも領主直営の店の支店があるというのに、他の店で買う者がそうそういるとは思えなかった。信用度、安心感、そして商品の鮮度の問題とかで……。

直営店の商品が、他の店を経由したものより高かったり品質が劣ったりするはずがない、と考えるのが普通である。

「このタイミングで領主がそのような商会を設立したのは、偶然か？　それとも、ローディリッヒの奴が何かやらかして領主の怒りを買い、うちの支店を切るために急遽立ち上げた……、って、後者であろうなぁ、当然……」

ドレインは、がっくりと肩を落とした。

「もう、ターヴォラス支店は駄目か……。領主を敵に回し、うちの支店がなくても全く問題がないという状況にされては、どうしようもない。

調査の者を派遣して、噂が真実であるかどうかと現状を確認させて、もし駄目であれば、あの街からは撤退するしかないか……」

「旦那様、それでは……」

勿論、番頭が言わんとしていることは分かっている。

「ああ。ローディリッヒの大失態となり、後継者にすることがかなり難しくなるだろう。

だが、『難しくなる』というだけであって、決して不可能になったというわけではない。

損切りのタイミングを見逃せば、傷口はますます広がる。

商人としては、儲かっている時よりも損をしている時の判断力の方が大事なのだ……」

「ははっ、御教授、ありがとうございます！」

レリナス商会の商会主、ドレイン。

それなりに有能な男であった……。

＊　＊

「いったい、どういうことだ！」

王都の本店から来た、番頭のひとり。

父親から支店の様子見のために派遣された者であり、勿論次男派のひとりである。

なので、歓待して高い店で飲み食いさせてやり、良い報告をさせるためにカネも摑ませた。

なのに、ここへ来て3日目の朝、番頭が突然ローディリッヒに告げたのである。

……レリナス商会ターヴォラス支店の廃止が決定したため、支店長は全ての撤退作業を行った後、王都へ戻るように、と。

それは即ち、ローディリッヒが失敗したと、それも支店を廃止しなければならないほどの大失敗をしたと判断されたということであった。

「なぜだ！　お前は俺の味方だろう！　なぜ俺を擁護する報告をしない!!　時間さえあれば、新しい従業員くらいすぐに雇える。何しろ、うちはレリナス商会なんだぞ、レリナス商会！　こんな田舎町の奴らにとっては、憧れの勤め先だろうが!!」

しかし、番頭は冷ややかな眼でローディリッヒを眺めていた。

「どうやら、思い違いをされているようですが……。

私は、レリナス商会本店の番頭であり、商会主であるドレイン様に雇われている身です。

そして、その条件下において、ドレイン様がお望みであった、ローディリッヒ様の次期商会主就任のためのお手伝いをしておりました。

なので、ドレイン様が正確な報告をお望みであれば、その通りに御報告いたします。

あくまでも私の主は、現商会主であるドレイン様です」

「なっ……」

蒼白(そうはく)になり、凍り付いたローディリッヒ。

番頭は、ただ正直に現状を報告し、そして自分に与えられた『駄目だと判断したならば、ローディリッヒに対して即座に支店の撤収を指示し、状況を見届けてからローディリッヒ達と共に帰還せよ』という命令を遂行しようとしただけである。

しかしローディリッヒはそれを、自分が父親から見放されたと思い込んだ。ドレインはまだ、支店での失敗を挽回(ばんかい)させるべく、次の策を考えてくれているというのに……。

そう。自分の味方であると思い込んでいた『次男派』という派閥が、長男であるラサルではなく自分を後継者にふさわしい者として選んでくれた者達の集まりではなく、ただ父親の意を汲(く)んだ者達に過ぎなかったと知り、そしてその父親に見限られたのではないかと思い込んだのであった。

自分の実力ではなく、虎(父親)の威を借るだけの、ただの狐(きつね)。

そして、そんな狐(自分)が虎に見放されれば……。

ローディリッヒは、焦った。

次期商会主の座から、無能な妾の子への転落。

それは、ローディリッヒにとり、到底受け入れることのできないことであった。

そして、その時……。

「ローディリッヒ様、ムーノが店に戻っているようです！」

店員のひとりが、そんな報告を持ってきた。

「……」

使い走りの丁稚が持ってきた文を読み、額にシワを寄せているムーノ。

その文に書かれているのは……。

＊　＊

『すぐに来い！』


「…………」

文を届けた丁稚は、文を渡すとすぐに、返信が書かれるのを待つどころか、返事を聞くこともなく帰っていった。

いくら下っ端の丁稚であっても、仮にもレリナス商会の支店に雇われている者である。普通であれば、そのようなことをするはずがない。

……ということは、そうするようにいいいいいいいい指示されていたということであろう。

自分からの命令を拒否することなど、あり得ない。

自分の命令は、他のどんなことよりも優先される。

そう考えている者にしか思い付かないであろう指示を……。

＊　　＊

「どうしてローディリッヒ様のお呼び出しに応じない!!」

　ムーノの元部下、支店に残った店員のひとりがターヴォラス商会本店に怒鳴り込んできた。

　今度は、丁稚ではなく、手代の男であった。

「……え？」

　ぽかんとした顔の、ムーノ。

「だから、どうしてローディリッヒ様の……」

「あ、いや、私が驚いているのは、あなたが言っていることが分からないからではなく、あなたのあまりにも馬鹿で無礼な態度に驚愕しているからですよ」

「え……」

　ムーノの言葉に、固まる元部下。

「あなたは、他店の店員なのでしょう？　それが、どうして他の店の商会主に対してそのような口が利けるのですか？　馬鹿なのですか？

　大方、支店長の命令だから私を頭ごなしに怒鳴りつけてもいいとでも思ったのでしょうが、今の私はレリナス商会の従業員ではなく、ローディリッヒ氏の部下でも何でもありませんよ。

　つまりあなたは、たかが支店の従業員の分際で、他店の商会主に対して偉そうな態度で暴言を吐いたというわけです。

あなたの上司に伝えなさい。『自分が無礼な態度で暴言を吐いたため、相手を怒らせて追い返されました』と……」

それを聞いて、蒼(あお)くなる元部下。

あのローディリッヒであれば、部下の愚かな行動による失敗を笑って許すとは思えない。それも、自分が追い詰められている状況で……。

なので、ムーノは今の言葉がそのまま伝えられることはあるまい、と思っていた。

どうせ、自分に都合の良いように、……ムーノが一方的に怒鳴りつけてきた、とでも報告するのであろう、と。それがまた、ますます状況を悪化させるというのに……。

そう考えるムーノであるが、それは向こうの事情であり自分には関係のないこと、と切り捨てた。

この手代の男は、ムーノが転職のお誘いをしなかった者である。それには、それだけの理由があったのである。

「とにかく、我が商会は商会主に無礼な態度を取る他店の店員などとは話も交渉もしません。お引き取りを」

そう言って奥へと去るムーノをどうすることもできず、仕方なく立ち去る元部下であった……。

＊　＊

「ムーノはどこだ！」

ターヴォラス商会本店に、アポもなく突然現れた、ローディリッヒ達。

いや、30分くらい前に、先触れの者が訪問を知らせてはきた。

……しかしそれは、一方的に、勝手に通告してきただけであり、決して『アポを取った』と言えるようなものではない。

なのでそれは、ただの飛び込み訪問に過ぎなかった。

まあ、ムーノ側が準備をするための役には立ったが……。

そして予め指示をしておいた店員がローディリッヒと連れの３人を奥へと案内し、ＶＩＰ用の応接の間に通した。

そこで待っていたのは、ムーノと、王都へは行かず残留組となった腹心の部下のひとりであった。

使用人の恰好をしたカオルとレイコがムーノの席の後ろに立ったまま控えているが、このふたりは員数外である。話を直接聞くためと、もしローディリッヒ達が暴力行為に及んだ場合に備えた、ムーノ達の護衛役でもある。

最初から強面の警備員を配置するのはさすがに無礼であるため、このような対処としたのである。

いくら身体レベルが15歳相当の少女であっても、身体を鍛えたこともない商人が相手で、しかもブレスレット型スタンガンや麻酔針を仕込んだ指輪を装備して、おまけにいざとなればレイコの魔法も、カオルのポーションもある。護衛としては充分、いや、いささか過剰な戦力であった。

何か予想外のことが起こらない限り、カオルとレイコが話に口を出す予定はない。あくまでも、状況を正確に把握するために現場に立ち会いたかったことと、ムーノ達の護衛のみが目的であった。

今の立場はともかく、一応は、元上司である。

なので、立ち上がってローディリッヒ達を迎え、椅子に座るよう促すムーノ。

そして、着席早々にローディリッヒが口にしたのは……。

「すぐに領主に取り次げ！　そしてこの店の商品を格安価格でうちに廻せ。その後、この店はうちが吸収合併してやる。お前達はうちの店に戻って、以前と同じように働かせてやる！」

（（（あ〜……）））

到底、受け入れられるはずのない要求。

しかし、追い詰められて後がないローディリッヒには、それをゴリ押しすることしか頭になかったのであろう。

いくら辞めたとはいえ、元は自分の店の従業員。自分の命令には従うのが当然。

そんなことを考えて……。

既に、その『自分の命令』に従わなかったからこそのこの状況であるということを忘れたのであろうか……。

社会人になってからも、学生時代の力関係がずっと続くと勘違いしている馬鹿。

休日に、後輩を私用で無料タクシー代わりに使おうとする馬鹿。

定年退職後も、電話で呼び出して元部下を顎で使おうとする馬鹿。

まともな頭を持っていれば、そんな馬鹿がいるなどとは到底信じがたいであろう。

……しかし、いるのである、本当に。そのような珍獣が。

現代日本においてさえ……。

そう、どこの世界においても、もうとっくに状況が変わっているというのにそれが理解できず、いや、理解しようとせず、過去の栄光しか縋るものがない者達が……。

なので、このような文化レベルの世界においては、こういう輩が割と存在するのは、仕方なかった。

「……お断りします」

「え？」

鳩が豆鉄砲を喰らったような顔の、ローディリッヒ。

おそらく、ムーノが自分の命令を聞かないなどということは、考えてもいなかったのであろう。

「うちは、領主様が資金を出されて設立された商会です。無関係の商会の支店如きに吸収合併されなければならない理由も、その必要性もありません。

そして、支店の従業員が他店の商会主に対して無礼な態度を取るような商店とは、取引をするつもりはありません。

私を怒らせ喧嘩を売ってきた、先程の使いの者にそう言ったはずですが、ちゃんと報告が行っていないのですか?」

「なっ……」

ローディリッヒも、商売においては馬鹿ではない。なので、客や取引先に対しては、ちゃんと下手に出たり頭を下げたりするし、場合によって態度を使い分ける。

しかし、自分より立場が下の者、つまり従業員とかに対しては横柄な態度であった。

自分に媚びへつらう者や、役に立つ者、利用価値のある者に対しては、それでもあまり無体なことをするわけではなく、それなりに面倒を見たり甘い汁を吸わせてやったりしているが……。

そしてムーノ達は自分の立場を弁え、仕事に関しては反対意見を述べることはあるが、上司に対してはきちんと従業員としての礼を尽くし、真摯な態度で働いていた。なのでローディリッヒはムーノ達のことを『馬鹿ではなく役には立つが、使いにくい駒』だと考えていた。

目を掛けてやってもやらなくても働き方は変わらず、自分の指示に異を唱えることもある、『癖のある駒』。

父親のドレインであれば、そういう駒も適切な場所に配置すれば非常に役に立つと考えるが、ローディリッヒにはそこまでの考えはないようであった。

なので、ドレインが考えていたように『ムーノ達をうまく使って業績を上げる』というのではなく、『ムーノ達の業績を全て自分の手柄にする』、『ムーノ達を仕事仲間ではなく、ただの踏み台として扱う』と決めたのであろう。

甘い汁を吸わせてやる取り巻きではなく、横柄に振る舞っても問題のない、下僕であると。

だからこその、着任時におけるあの態度であったのだ。

そしてローディリッヒは、今でもその上下関係が続いていると思っていたのである。

ムーノ達は、自分には頭の上がらない下僕であると。

……とっくに、あの時に全てが御破算になってしまったということに気付かず……。

「きっ、貴様！　私に逆らえばどうなるか、分かっているのか！」

「いえ、どうなるも何も、既にクビにされておりますが？　それ以上に、どうされると？

まさか私を殺すとか言われるわけではありませんよね？」

「うっ……」

既に、経営者側が雇われ人に対して行う最大の処分である『解雇(クビ)』を宣告した後では、犯罪者でもない限り、それ以上の罰は与えようがない。

「レ、レリナス商会に逆らって、新興の小さな商店が商売をやっていけるとでも……」

「いえ、王都であればともかく、この街においては領主様が出資されていて他の商会とも協定を結んでおります当商会の方が、遥(はる)かに立場が上かと。特産品とかのルートも押さえておりますし
……。

王都からの品も独自に入手できますので、レリナス商会との縁がなくともうちは全然困りませんので……」

「うっ……」

まさに、それが問題でローディリッヒが困っているのである。

ここでローディリッヒが謝罪し頭を下げれば、ムーノも悪いようにはしない、……などという可能性は、皆無であった。

もしここで甘い顔をすれば、ローディリッヒは絶対、後で裏切る。契約書の偽造や書き換え、他の取引先にデマを流す、その他諸々のやり方で。

……そう、本店で、商会主のドレインやローディリッヒが時々やっていたように……。

しかし、そうはならないことを、ムーノは知っていた。

ローディリッヒは、客や取引相手に頭を下げることは何とも思わないが、元従業員に頭を下げるような真似は絶対にできないということを知っているからである。

そしてローディリッヒもまた、もう何を言ってもムーノが自分の言うことを聞くことはないのだということを、今、知った。

さすがに、ローディリッヒもそこまで馬鹿ではなかった。

「…………」

ローディリッヒは、連れと共に引き揚げた。ひと言も発することなく……。

「終わりましたね……」

とにかくこれで、レリナス商会ターヴォラス支店との縁は切れた。

実は、商会主のドレインが調査のために派遣した番頭が、数日前にムーノのところへ訪れて、支店が閉鎖されこの街から撤退することを教えてくれたのである。

なので、ムーノはローディリッヒより先にそのことを知っていた。

そして今は、ローディリッヒもそのことを知っている、ということも……。

だから、ローディリッヒがたとえどのような条件を出そうが、ムーノが首を縦に振ることはあり得なかったのである。

支店閉鎖を撤回させる最後の望みも消え、ローディリッヒは取り巻き達と共に王都へと戻る。

そして、味噌がついたものの、ドレインはローディリッヒに対して次の『手柄を立てさせる方法』を考えるであろう。ムーノ達とは全く関係のない方面において……。

レリナス商会とは縁が切れた自分達には、もう何も関係のないこと。

後継者争いも、派閥も、ローディリッヒや取り巻き達のことも……。

この国のことも、ここの『商家』というものについてもあまり知らないカオル達は、当然のことながらその方面のことについてはムーノの判断を信用した。

……少なくとも、判断材料が乏しい自分達の考えよりも正しいであろうと思って。

それは、別におかしくはない。ムーノはこの国の商人達の考え方も、レリナス商会の人々の性格も、よく知っているのだから。

だが、カオルとレイコは忘れていた。

ムーノ達は派閥争いには興味がなく、汚いやり方は嫌いであるということを。

……そう、それは、ムーノ達はレリナス商会の上層部の者達とは考え方が異なるということであった……。

＊　＊

今日の干物や燻製（くんせい）の納入担当は、９歳のミーネと7歳のリュシーであった。他の者は、『リトルシルバー』で次の干物を作っている。

それはいい。

それはいいのであるが……。


「「…………」」


現在、人通りのない狭い路（みち）で、前後をそれぞれふたりずつ、計４人の男達に塞がれていた。

……ピンチである。

干物の納入が終わっての帰り道であり、任務を無事果たし終えたあとであるのは幸いであったが、それは少女達の使命感を満足させることはできても、この危機の回避については何の役にも立たなかった。

……そして、少女達を逃がさないよう路を塞いだまま、じりじりと距離を詰めてくる男達。

「えと、あの、私達に何か御用ですか？」

怯(おび)えた様子のミーネがそう尋ねると、男達のひとりがいやらしい嗤(わら)いを浮かべながら答えた。

「お前達、『リトルシルバー』の者だな？　ちょっと来てもらおうか……」

「交戦規定(ROE)クリア！」

「了解(ラジャー)！」

そしてミーネとリュシーは突然男達には理解できない台詞を叫ぶと、ポケットに手を入れた。

これが、手を入れたのが手に持っている袋であったなら、男達も少しは警戒したかもしれなかった。いくらぺしゃんこであり中身はカラに見えても、ナイフくらいは入っているかもしれないからである。

……しかし、服に付いた小さなポケットでは、小さなナイフですら入れることはできない。

なので、何も気にすることなくふたりの少女に近付いていたのであるが……。


ぶしゅううぅ～～!!

「「「ぎゃあああああ～～!!」」」


ミーネとリュシーが、ポケットから出した手をそれぞれ前方と後方の男達に向けて突き出し、躊躇(ためら)うことなく作動させたのであった。

……そう、カオルから支給された、防犯グッズを……。

噴霧された薬品をまともに顔面に浴びた男達は、両手で顔を覆って悲鳴を上げた。

「眼が、眼があああああ!!」

「ひいぃい、あ、悪魔だ！　悪魔が出たああぁ!!」

今回ミーネ達が使ったのは、ＣＮガスではなくＯＣガス、つまり毒ガス兵器由来のものではなくトウガラシに含まれるカプサイシン系のものなので自然に優しいが、眼の痛みと咳き込み、そして催涙効果は抜群である。

現代人であれば『催涙スプレーを使われた』と分かるため、症状はどうしようもないものの、恐怖心というものはあまりない。

しかしこの者達にはそのような知識はないため、『悪魔が現れた』と思い込むのも無理はないだろう。

そしてミーネとリュシーは、視力も判断力も失い棒立ちになって泣き叫ぶ男達の膝裏に蹴りを入れて転倒させ、その顔を蹴りまくった。

別に、悪意ある加害行為ではない。

いくら一時的に視力を失っているとはいえ、相手は成人男性４人である。

もし少しでも視力が回復すれば。

視力が回復しなくとも、落ち着きを取り戻したり、身体の一部を掴まれ、捕らえられれば。

そうなれば、幼い少女の力では、到底振り払うことはできないであろう。

そして、もしこのまま何もせずに逃げたとすれば、今回は逃げられたとしても、またすぐに襲われるであろう。この連中は、たまたま目に付いたミーネとリュシーを襲ったのではなく、明らかに『リトルシルバー』の者を狙った』のであるから。

次に襲われるのは、自分達ではなくアラルやイリー、フリアかもしれない。

……そして、狙われるのが、カオル様やレイコ様、キョウコ様である可能性も……。

それだけは、何としても阻止しなければならない。

ならば、今、自分達がやるべきことは。

この連中がしばらく出歩けないようにして、カオル様達が対処されるための時間を稼ぐ。

そして、自分達を襲ったのが誰かということをはっきりとマーキングする。

そのためであれば、自分達が多少の危険を冒しても問題はない。

万一のことがあっても、アラルとイリー、フリアはカオル様達がお守りくださる。

……なので自分達は何の心配もなく、安心して責務の遂行に専念できる。

そう考えて、蹴る。

非力な少女であるため、腕の数倍の力があると言われている、足で。

カオル様から戴いた、頑丈な靴を履いた足で。

蹴る。

蹴る。

蹴る蹴る。

蹴る蹴る蹴る蹴る蹴る蹴る蹴る蹴る蹴る!!

そして、充分に『少女誘拐未遂犯であることの目印』をマーキングしたと判断したふたりは……。


「……脱出！」

「了解（ラジャー）！」

現場を離脱した。

歯が折れ、顔をパンパンに腫れ上がらせて地面に転がった、4人の男達を残して……。

＊　　＊

「……ということがありました」

「うむむむむ……」

カオルは、考え込んでいた。

今、『リトルシルバー』に正面から喧嘩を売ってくる者に、心当たりがなかったからである。

それも、4人掛かりで襲って、9歳と7歳の少女に返り討ちに遭うという、到底プロとは思えない軟弱な男達には……。

「とにかく、ボコった男達に訴えられるという可能性はないか……。そんなことをすれば、ミーネ達を襲った誘拐未遂犯として自分達が捕らえられるし、ミーネ達は当然のことながら正当防衛で無罪だし。

そして何より、幼い少女ふたりを襲って返り討ちでボコボコにされた４人の成人男性、なんて噂が広まれば、男としては終わり、死んだも同然だからねぇ。

だから、警戒するのは、再度の襲撃か……。

そして今度はアラル達が襲われるかもしれないし、防犯スプレーのことは知られたから、今度は奇襲でスプレーを使う暇を与えないようにしてくるかもしれないよね、馬鹿じゃなければ……」

そう、ミーネ達が思ったように、それが最大の懸念事項であった。

しかし、そのための、『ボコりによるマーキング』なのである。

「よし、明日からしばらくの間、子供達だけで街へ行くのは禁止。必ず、私かレイコが一緒に行くよ。

それと、今から警備隊詰所に届けを出してくる。次に何かあった場合、迅速に対処してもらえるからね。ないとは思うけど、もし向こうが先に被害届を出したら面倒なことになる可能性もあるから、先に根回しをしておくに越したことはないからね。

そして、領主さんにも話が行くようにしてもらい、街の人達にも噂を流そう。

この街では、地元の人達も権力者もこっちの味方だから、利用できるものは利用しなきゃね。

コネとお金は、使ってナンボ、だよ。

そして……」

「「「「「そして？」」」」」

「明日、顔がボコボコになってる４人組の男達を捜す！」

＊　＊

「コイツらかぁ……」

犯人は、あっさりと判明した。

恭ちゃんの母艦で作られた女児用の靴は、履き心地は最高だけど、つま先部分には特殊合金が仕込まれている。軽くて頑丈なやつが……。

そう、地球にある、安全靴のようなものである。

実は、踵（かかと）を強く地面に打ち付ければつま先部分から刃が出るようになっているんだけど、それを使うまでもなかったらしい。

その靴でげしげしに蹴りまくられたのだから、医者か薬師のところへ行くに決まっている。

なので翌日、そのあたりを調査しようと思ったのだけど……、その必要はなかった。

うん、医者と薬師のところへと向かう途中で見掛けちゃったんだよねぇ、顔を腫らしたローディリッヒ御一行様を……。

オマエらか～い！

……いや、そりゃ支店には従業員の一部が残っているんだから、調べりゃ分かるだろうけどね、商品の供給元が『リトルシルバー』だということは……。

でも、ちゃんとそれを確認し、そしてムーノさんのところ、ターヴォラス商会ではなくうちを標的にした点は、敵ながらよくやったと褒めてあげられる。

そして、うちの子供達を狙ったことは、よくもやってくれたな、と葬ってあげられる。

似たような語感だけど、意味は大違いだ。

ムーノさん達のところにまた絡むかもしれない、ということは予想していた。

でも、それもほんの数日間、あの本店から来た番頭さんが支店を撤収させてローディリッヒ達を王都へと連れ帰るまでのことだと思っていた。

そして、父親がまたローディリッヒに手柄を立てさせるための次の仕込みを行い、この領地やムーノさんのお店とは縁が切れ、全くの無関係になる。

王都の知らない店の後継者争いなんか、興味はない。私達も、そしてムーノさん達も。

……そう思っていた。

うん、本当に、そう思っていたんだ。

ローディリッヒとやらは、ここでは大きな失点となったけれど、まだ後継者争いはゲームセットとなったわけじゃないだろう、と。

……でも、ヤツは踏み越えた。

決して越えてはならない境目を……。

許さん！

……潰す！

＊　　＊

「潰すよ！」

「……何を？」

『リトルシルバー』に戻っての、私の第一声に、当然の疑問を返すレイコ。

「ローディリッヒ一味。ローディリッヒの次期後継者の目が完全になくなるくらいには」

「あ〜、犯人、あの連中だったか……。嫌がらせは商人的なやり方で来ると思ってたんだけどな〜。

ちょっと、買い被ってたか……」


うん、商人なら、商人らしいやり方で来るかと思ってたんだよね。何らかの圧力を掛けるとか、権力者や他の商人、商業ギルドを抱き込むとか、偽の契約書や雇用関係の証明書を作るとかして……。

法律の範囲内での嫌がらせならば、こっちも法律の範囲内での反撃。

ちょっぴりそれを超えちゃった嫌がらせなら、こっちも、ちょっぴり超えた反撃を。

その程度に考えていたんだ。あくまでも、商人として向かってくるだろうと。

……それを、まさかこんな直接的な手段に出るとは……。

しかも、チンピラを雇うことすらせず、まさかの自分達の手で直接……。

まあ、チンピラを雇おうにも、この街のチンピラや犯罪組織の者達は『リトルシルバー』に喧嘩を売るような依頼は絶対に受けないけどね。

今までに『リトルシルバー』に手出しした者達がどんな結末を迎えたかはみんな知っているし、領主様や商人達と懇意だってことも、勿論知っている。

そして何よりも、うちは孤児達のために活動している組織だ。

……そう、街のチンピラや犯罪組織にも、孤児だった者達はいる。

そして、『リトルシルバー』の前身であった孤児院のお世話になっていた者も……。

なので『リトルシルバー』は、そういう者達にとっては、『触れてはならないもの』という扱いなのである。

だから、『リトルシルバー』に手出しするために人を雇うなら、少なくともこの街以外の場所、できれば他の領地か他の国で雇う必要がある。

下手にこの街で人員募集なんかすれば、前金だけ取られて、そのまま『リトルシルバー』か領主邸か警備隊詰所に駆け込まれるのがオチだ。

とにかく、連中はそれを知ってか知らずにか、人を雇わずに自分達の手で犯行に及んだわけだ。

もしかすると、人を雇おうと試みはしたのかもしれない。それが不首尾に終わっただけで。

それとも、10歳未満の女児を攫うくらい、大人が4人もいれば簡単だとでも考えたのかな。

そして、おそらくは交渉に使うだけで危害は加えず、後で無事に帰すから大した問題にはならない、とでも考えたか……。

大商人の息子であり、この街の支店長であること。

そして捕らえている間は子供達に危害を加えることなくお菓子でも与えておけば、用済み後に無傷で帰してやれば何とでも言い逃れできるとでも……。

確かに、以前であればそれも何とかなったかもしれない。

ここに『リトルシルバー』ができる前で、私達が領主様や商人達と手を組む前で、街の人達に完全に受け入れられる前であったなら。

……だけど、今はもう駄目だ。

悪徳商人あるあるの、『官憲とズブズブ』なのは、こっちだ。

そしててめーらは、誰にも護ってもらえない弱者の方だ。

こういう立ち位置になるために、色々と努力し、根回しをし、そして画策してきたんだ。

そして、今はこの街だけのこの立場を、国レベルで確保するのが、今やっている『出張シリーズ』の目的なんだよねぇ……。

早く一段落させないと、出張期間が長い恭ちゃんに申し訳ないよ。

「じゃあ、警備隊に通報を？」

「ううん。どうせ否定するだろうし、証拠がないとか偽証だとか言ってゴネるに決まってるから。しらを切るのをいちいち問い詰めたりするのは面倒だし、王都の警吏に引き渡すには、それじゃ少しインパクトが弱いよ。だから……」

「だから？」

「スッキリ明朗会計、誰が見ても文句なしの現行犯で捕まえる」

「おとりか……」

　さすがレイコ、話が早い。

「でも、さすがに今度は向こうも慎重になるでしょうから、おとり捜査は子供達が危険なんじゃあ……。

　防犯スプレーのことも知られているし、いくら私達が陰から見守っているとはいえ、もし万一、突然殴られたり斬りつけられたりすれば……。

　いくら平気そうな顔をしてはいても、10歳未満の女の子だよ。恐怖に震えて、もし心理的に悪影響が出たら……。

　それに、前回子供達にあれだけボコられたのだから、さすがに次は人を雇うでしょ。

　ソイツらを捕らえても、しらを切られて終わるだけなんじゃあ……」

　うん、確かに、普通ならそうだろうけど……。

「誘拐されて、連中に引き渡されるまで待つから、その点は大丈夫！」

「なっ！　それじゃあ、子供達が！　前回の腹いせで、暴力を振るわれたらどうするのよ！」

　うん、勿論それくらいのことは私も考えている。なので……。

「おとりには、絶対安心な者を使うから、問題ないよ」

「……さすがに私達じゃあ、年齢的に……」

　まあ、そうだよねえ……。

　でも、私達には、隠し球がいる。

10歳未満に見えて、私達と関係があり、重要人物に見える美味しい餌でありながら、絶対に安全な人物が……。

「あ！」

うんうん、レイコも気が付いたか……。

「金食い虫の、レイア‼」

「うん。毎週、金貨を吸い取られているんだ。少しは私達の役に立ってもらわないとね。外見は8歳くらいだけど、意識体としては数万歳とか数億歳とかだろうから、子供を危険に晒すとか、虐待だとか、児童福祉法とかは関係ない。

……というか、児童どころか、人間ですらないわ！」

「…………」

うん、まあ、見た目がアレだから、ちょっと罪悪感がないわけでもないけれど、そんな時には、アレだ。

……心に棚を作れ！

そして私もレイコも、おとり捜査は違法だ、なんて言ったりはしない。

そりゃまあ、犯意誘発型……元々犯意がない者に、犯罪を誘発させる行為……は問題があるけれど、機会提供型……既に犯意を抱いている者に、その機会を提供するだけ……というのは、被害者を出さないためには必要であり、許される行為だろう。

犯人が分かっているというのにわざわざ次の犯行を待って、被害者を出してどうするよ……。

「でも、手伝ってくれるかなぁ？」

レイコが心配そうにそう言うが、いくら下等生物の些事(さじ)には興味がなくとも、絶対に手伝ってくれるだろう。私には、その確信がある。

「大丈夫！　手伝ってくれなきゃ毎週支給しているお金を減らす、と言えば、絶対に手伝ってくれるよ。支給金が減ると買えるお菓子の量が激減するよ、って言えば……」

「鬼かっっ‼」

＊　　＊

「……じゃあ、そういうことで……」

こくこく

よし、レイアとの話は付いた。

……協力期間中の支給金をアップさせられたが、まあ、許容範囲内だ。

「じゃ、あとは『リトルシルバー』の経営者の親族の娘がひとりで宿に滞在している、という話を、支店の従業員の耳に届くようにするだけか……」

うちの従業員は危険だと分かっただろうし、ただの従業員より『高級宿に滞在している、経営者の親族の娘』の方が人質としての価値はずっと高い。それに、『お嬢様』であれば成人男性の顔を蹴りまくることはないだろうと考えるのが普通である。

……うん、レイアに『普通』を求めてはいけない……。

レイアは、しょっちゅう街をうろついている。

美味しいものと楽しいことを探し求めているのだから、宿に閉じ籠もっているわけがない。

陽が落ちて暗くなりかけた時刻にも平気でうろつくし、人気のない路地裏とかにも平気で入り込む。時々、街を離れることもある。

ま、心配する必要はないから、私達はあまり気にしていないけどね。

レイアが『リトルシルバー』の関係者だということは街のチンピラ達にも知れ渡っているし、うちは領主様のお気に入りだということも、うちの関係者に手出しした者達の末路も、みんなが知っている。

それに、孤児のために尽力する者や、その関係者に手出しするチンピラは、あまりいない。

孤児というのは、彼らにとっては『いつか来た道』であり、自分の子供達が『いつか行く道』であるかもしれないのだから。

ま、そもそも、人間に襲われてどうこうされるような生物じゃないからね、レイアは……。

そういうわけで、『夜釣り』は、別に何か変わったことをする必要はない。餌も仕掛けも、いつものままで。

支店の従業員に、レイアがうちにとって大事な人物であるという情報をそれとなく伝えてやるだけでいい。間接的に……。

それは嘘じゃないし、裏を取るために調査しても、宿の人達も、街の人達もそれを裏付ける話しかしないだろう。

そうすれば、その話がローディリッヒに伝わり、ま、色々と画策することだろう。

孤児……、いや、元孤児達は危険だと判断して、無力そうで明らかに身分が高そうに見えるレイアなら簡単に確保できると考えて……。

＊　　＊

さすがに、ローディリッヒ達はすぐに行動に移すことはなかった。

まあ、顔がボコボコの男4人が一緒に行動していたら目立つし、目撃者にチラリとでも見られればアウトだ。

それに、暴れる子供が振り回した手が顔に当たれば、一発で悶絶モノだろう。

さすがに、次も自分達でやるとは思えない。

支店の撤退は商会主の意向なのでもう決定事項らしいけれど（王都から来た番頭さんが、ムーノさんに教えてくれた）、ローディリッヒ達は王都への帰還を引き延ばしているらしい。

まあ、今までのお得意さんへの挨拶やフォロー（別の取引先への紹介とか）をすると言えば、派遣された番頭さんも無下にはできないのだろう。

……実際には、顧客は全てムーノさんのところに移っているから、そんな心配は必要ないんだけどね。

さっさと諦めて王都に引き上げてくれればよかったのに……。

ま、ここの特産物を王都の本店が直接買い入れるルートを確立すれば、手柄になるとでも考えているのだろうな。

そうすれば、『支店を介さず、直接王都の本店が仕入れることができるようにした。なので支店を置く必要がなくなり、経費の大幅削減に成功した！』とか言えちゃうかもしれないよね。

そうすれば、大失点どころか、一転、大手柄だ。

……うまくいけば、だけどね……。

とにかく、そういうわけで数日間は平穏に過ぎ去ったのだけど、あまり長引いても困る。

子供達だけで街へ配達に行かせられないし、勿論、遊ぶのもうちの敷地内限定になる。

子供達への制限もだけど、私とレイコも配達に行く子供達に付き添わなきゃならない。

……というか、それなら私かレイコだけが行けばいいじゃん、ってことになるけれど、そういうわけにもいかないのだ。

子供達が、絶対に許容しないからね、そんなこと。

自分達のせいで、私とレイコが子供達の代わりに配達するなんて、絶対に許せないらしい。

自分達の存在意義を脅かされるとでも思ってるのかねぇ……。

とにかく、私達が付き添うことを子供達が負担に思っているらしく、みんなの顔色が良くない。

私達も、時間を取られるのはありがたくないし……。

それに、早く決着が付かないと、レイアに依頼料として渡す『割増し手当』の支払いが延々と続くのだ。

いつもと変わらない行動を取っているだけなのに、レイアのヤツ、『依頼任務中は手当を払い続けてもらう』と言いやがったのだ、1件当たりの請負仕事ではなく！

この件が長引くことを読んでいやがったな。

……くそっ、失敗した!!

＊　　＊

更に数日が経ち……。

もう、そろそろ暗くなってきた頃。

「お、来た来た……」

……そう、良い子はとっくに家に帰っている時間だ。

私は、ここのところずっと、眼鏡を掛けている。

概ね、朝方から、レイアが夕方か夜に宿に戻って、もうその日の外出はないな、と分かるまで。

勿論、掛けているのは普通の眼鏡じゃない。

あの、病原体探索時にデビューした、探索眼鏡の『サーチャー』である。

流行り病の原因調査で活躍し、その後『温センサー』と名を変えて、温泉の探索にも使った。

……近場の新しい温泉は発見できなかったけどね。

それを、探索対象をレイアとあの４人組にセットしてあるのだ。

いや、いくら何でも、レイアひとりに丸投げはしないよ。

……主に、犯人達の生命の安全と、街の人達や建物とかの被害、バレてはいけないことの露見とかを防ぐという理由によって。

連中に雇われた者は、さすがに探知できない。

そりゃ、いくら何でも、『レイアに害意を持っている者』なんて指定の仕方ができるわけがない。

でも、予め『この人間』と指定しておけば、どうやって識別するのかは分からないけれど、探知範囲内であればマーカーが出る。

多分、生体電流の波形や周波数とか、脳波とか、オーラとか、何かそういうもので識別しているのだろう。神のように進化した生命体の技術なんだから、深く考えても仕方ない。

ことに及ぶ時には連中も動くだろうから、連中を示すマーカーが外出中のレイアに接近したら、私達も動くことになっている。……私とレイコが、ね。

レイアが泊まっているのは高級宿だし、宿の人には私からチップを弾んで色々とお願いしてあるから、宿の中では心配することはない。

……そして今、宿の外を移動しているレイアを示す青いマーカーに、４つの赤いマーカーが接近している。

「赤色マーカー４つ、高速接近中。要撃機、直ちに発進!!」

「了解（ラジャー）！　ミーネとイリーは、みんなを指揮して『リトルシルバー』の防衛！」

「「はいっ！」」

私からの『敵、発見』の報告を受けたレイコの指示に、元気に答えるミーネとイリー。

ミーネは9歳、イリーは10歳だけど、孤児院時代はともかく、今はミーネの方が『リトルシルバー』では先輩だ。

それに、ミーネの方が図太く、割り切りが早い。

なので、私達が不在の時の指揮はミーネに任せ、イリーがその補佐に就く。

軍隊でも一般社会でも、上下関係に年齢なんか関係ない。一に階級・役職、二に序列。三に年数、四に能力。

そしてミーネは、この中でただひとり、新兵（ひよっこ）を連れて敵中突破、ここまで独力で辿（たど）り着いた古参兵だ。私達の留守を任せるのに、何の心配もない。

まあ、今一番危険な奴のところに私達が出向くわけだから、ここが襲われる確率はほぼゼロだけどね。

「よし、出撃！」

＊　＊

「あれ？　近付かないなぁ……」

4つの赤いマーカーは、ある程度レイアの青いマーカーに近付いたところで停止していた。

「タイミングを計っているのか、それとも……」

もう辺りはかなり暗くなっているけれど、もうすぐレイアを視認できる。

しかしそれは、レイアの近くにいる者からもこちらを視認できるということだ。

私達が把握していない、何者かからも……。

「あ！」

「どうしたの？」

「あ、いや、その、……何でもない！」

いかん、ボケてた！

今はもう暗くなっていて、人通りは殆どない。

そして私達は既にレイアのすぐ近くにいる。

……ならば、サーチャーにレイアとあの連中だけでなく、全ての人間を映し出せばいいじゃん！

もう、この狭い範囲には関係者以外の者はほぼいないのだから。

昼間の大通りの雑踏（ざっとう）とかだと人間のマーカーで埋め尽くされて役に立たないけれど、今、レイアを中心とした半径50メートル圏内の路上に、何人の人間がいるっていうんだよ……。

そして、サーチャーの探索対象を変更すると……。

「いた～!!」

レイアを囲むように、3つの人間の反応が……。

……でも、まだだ。

アタリがあったからといって、慌ててすぐに合わせると、せっかく鉤（はり）に掛かりかけた獲物を逃（バラ）がす危険がある。

これが、またあの連中が自分達で手を出してきたのであれば、早合わせでもいい。

でも、雇われた者達の場合は、あの連中が知らぬ存ぜぬと言い張った場合、ちょっと面倒なことになる。

何せ、あの連中はこの領地の者ではなく王都民だから身柄は国王陛下のものだし、実家は有力商家（かねもち）だから、色々とコネや人脈がある。

なので、完全にクロであり言い逃れができない状況、つまり現行犯逮捕が望ましいというわけだ。

それも、私達による『私人逮捕』ではなく、逮捕権がある第三者、つまり警備兵の手による現行犯逮捕が望ましい。

また、取り調べの時に、到底うまく説明できるとは思えないレイアの代わりに私達が証言できるよう、前もって全てを自分達の目で確かめておく必要がある。

それに、遠くから双眼鏡で、とかいうのでは、証言する時に齟齬（そご）が生じる可能性がある。なので、しっかりと事前確認しておく必要があるのだ。

……まあ、一番の理由は、実行犯達の身に危険が迫った時に、すぐにレイアを制止できるように、ということなんだけどね。

いや、勿論、ちゃんと注意はしてあるよ。

でも、子供というものは、蝶々(ちょうちょう)を捕まえようとして、ついうっかりと握り潰してしまうものだからねぇ。……全く、何の悪気もなく……。

「もう少し接近するよ。ローディリッヒ達がいるのとは反対側から。見つからないよう気を付けて！」

「了解(ラジャー)！」

そして、そっと接近し、物陰から見ていると……。


「お嬢ちゃん、『リトルシルバー』の関係者かな？」

レイアを取り囲んでいる3人組のうちのひとり、多分リーダーであろう者が、猫撫(ねこな)で声でレイアに問い掛けた。

「……うん？　そうなるのかな？　あそこの者じゃないけど、お金を貰(もら)っているから……」

どうやらそれは、男達を充分満足させる回答だったらしい。

「じゃあ、ちょっとおじさん達と一緒に来てくれないかな？」

「うん、いいよ」

「「「…………」」」

まさか本当に了承されるとは思ってもいなかったらしく、驚いたような顔で絶句した男達であるが、馬鹿なのかな、とでも思ったのか、慌てて言葉を続けた。

「じゃあ、こっちに……。すごく美味しいお菓子もあるよ」

「……楽しみ」

レイアが素直についていくのは、勿論私からの依頼だということもあるけれど、本当のところは、『面白そうだから』なのだろうな。

美味しいものと面白そうなことを楽しむために、分岐元の指示に反さないぎりぎりのところを攻めてこの世界を楽しんでいる、レイア。

勿論、この件は私からより多くの金貨を巻き上げて飲食と娯楽にお金を注ぎ込めるということと、この件そのものを楽しめるという、一挙両得の美味しい依頼だと思っているのだろう。

更にそれに加えて、私に恩が売れる、ということも……。

ま、こっちも助かるのは確かだ。

少なくとも、子供達を少しでも危険に晒すことなくこういう手段が使えるのは、レイアがいるからこそ、だ。

そうでなきゃ、もっと暴力（ちょくせつ）的な手段を選ぶしかなかったかもしれない。

人間、助け合いが肝心。

……レイアは人間じゃないけどね。

ま、小さいことは気にしない！

＊　＊

「連れてきたぜ！」

男達がレイアを案内したのは、街外れの小さなあばら屋。

さすがに、商会の支店に連れていくほどの馬鹿ではなかったようである。

そして、拉致の成功を見届けた後、先にここへ戻っていたらしいローディリッヒ達は、覆面で顔を隠していた。

勿論、顔を腫れ上がらせた4人の男がいた、などと後で証言されては困るからであろう。

まあ、もしも顔に怪我をしていなかったとしても、顔は隠していたであろうが……。

とにかく、レイアに素顔を見せないということは、レイアをちゃんと帰すということであり、それすなわち無用な怪我を負わせたりする気はない、ということだ。

……いや、何をされても怪我をすることはないと思うけどね、レイアは……。

レイアを連れてきた3人の方は、この街の者ではないであろうから、別に10歳前後の子供に顔を見られたからといって、特に問題はないのであろう。

仕事を終えてこの街を出れば、二度とこの子と会うことはないのだから。

そもそも、自分達が覆面で顔を隠していては、さすがに子供をここへ連れて来ることはできなかったであろうし……。

そして私とレイコは、レイコの『なんちゃって魔法』によって姿を隠し、歪んで隙間ができている木窓から中を窺(うかが)っているわけだ。

ガラスなんかないから、声もよく聞こえる。

「よくやった！

ようこそ、お嬢ちゃん。明日の夕方まで、ここでゆっくり遊んでいていいからね。

この3人が遊び相手になってくれるから、お馬さんになれとか、貴族のお嬢様と下僕ごっことか、何でも命令していいからね！」

3人の男達が、おいおい、と苦笑いしているが、それも依頼内容に含まれていたのか、別に嫌がる様子はなかった。

おそらく、解放後にレイアに『知らないおじさん達に遊んでもらっていただけ』と証言させるため、こういう待遇なのであろう。

そして『リトルシルバー』側には、『あのお嬢さん、無事に見つかればいいですねぇ……』とか言ってレイアの身柄を確保していることを仄めかしながらも、自分達は関係ないというポーズを取りつつ、しっかり脅迫するというわけだ。

そして、自分達に都合の良い契約書へのサインを要求するという……。

レリナス商会は、一応は、普通の商家だ。別に、犯罪組織だというわけじゃない。

なので、本気で子供を傷付けたり売り飛ばしたり、などとは考えていないのだろう。

言うことを聞かずに抵抗されて、ついカッとなってビンタ、くらいはあるかもしれないけれど。

……まぁ、レイアならそういうこともないか。

不満を述べることはあっても、暴れたり騒いだりするような子じゃないからね。

……というか、本当に怒ったり不愉快に思ったりすれば、……まぁ、即座に終わるだろうから。

あの連中の人生が。

「……すごく美味しいお菓子は？」

あ、レイアが約束の履行を要求している。

まぁ、今回のレイアの目的の3分の1だからね、それが。

あとは、私からの依頼だということが3分の1、自分の楽しみが3分の1だ。

こういうのに巻き込まれるのは初めてだろうからね。娯楽のつもりなんだろう、多分……。

「はいはい、ちゃんと用意してあるよ」

そう言って、レイアを連れてきた3人組のひとりが、お菓子が入った木椀（もくわん）を持ってきたが……。

「……約束が違う。それは安物のあまり美味しくないやつ。『すごく美味しいお菓子』というのは、最低でもマルク屋の焼き菓子、ネーヴォル堂の練り菓子、エルト商店の果実菓子、ブルグ軽食店の甘味レベルを指す。……これは、鳥の餌」

あ。表情は変わらないけれど、レイアが怒っている。……ヤバいぞ、これは……。

「こっ、この……。これでも、庶民の子供にとっちゃあ、貴重品なんだよっ！　それなりの値はするんだよ！

それに、今お前が挙げたやつ、このあたりの街でトップクラスのやつばかりじゃねぇか、味も値段も！

そもそも、そんなお高い上品なやつばかり喰ってちゃ、面白くないだろうが！

こういうのは、チープなやつも楽しんでこそ、世界が広がるってもんなんだよ！

こういうのにも、それなりの旨さ、それなりの味わいってもんがあるんだよ！

お前はいつも高いやつばかり喰ってるだろうから、こういう機会には庶民がたまにしか喰えねぇ菓子を味わって、社会勉強すればいいんだよっ!!」

ありゃ、頭ごなしに怒鳴るかと思ったら、正論で来たよ……。

お菓子の用意を担当したらしき男にそう捲し立てられて、レイアが黙り込んでいる。

……ヤバいか？　予定を変更して、介入してレイアを止めるべきか？　大惨事を防ぐために……。

「……一理ある。その主張を理解して納得したので、今日のところは安物で我慢する。

但し、充分な量を要求する……」

「……お、おう……。分かりゃ、いいんだよ……」

どひゃ～！

あのチンピラ、食べ物には妥協しない、あのレイアを納得させやがったよ！

……すごいものを見た……。

「大丈夫そうだね。じゃあ、あとは任せた！」

「了解！」

うん、あとはレイコに任せて、私は引き上げ。

隠れての監視も、何かあった場合の対処も、ポーション使いの私より、魔法が使えるレイコの方がそつなくこなせるからね。

そして私には、これから明日のための仕込みがあるし。

よし、離脱！

＊　＊

「カオル様、お客様です。顔を腫らした人達が、4人……」

昼前に、イリーがそんなことを言ってきた。

いや、今日の来客対応の当番なのだから、ちゃんと自分の仕事をこなしているだけなんだけどね。

イリーは例の4人組には襲われていないけれど、そんな簡単なヒントがあれば、それがミーネとリュシーを襲った連中だということは丸分かりだっただろう。

さすがに、うちを訪問するのに、覆面（マスク）を着けてくるわけにはいかないか……。

でも、襲われた子供達が『犯人の顔をボコボコにした』と報告しているであろうことは当然分かっているだろうに、腫れ上がった顔で4人揃（そろ）ってやってきたということは、隠す気もない、ってことだよね。

そして、その状況で何の用件で来たのか、というと……。

うん、アレしかないよねぇ……。

少し間(ま)を空けてから来客を食堂へ案内するように指示して、紅茶を飲みながら私と話をしていた護衛役と共に、急いで食堂へと向かった。

ここには応接室なんかないので、食事の時以外は子供達が立ち入らず、余計なモノも置いていなくて常に整理整頓と掃除が行き届いている食堂を来客の応対に使うのである。

相手や場合によっては、客の方を先に部屋へ入れて、私達があとから行くという形を取ることもあるが、今回は私達が先に部屋に入り、来客を迎えるという形にする。

私達が食堂で位置についてからすぐに、イリーに案内されて連中がやって来た。

こっちは、席に着いた私と、その後ろに立っている護衛役の男性がひとり。

昨夜のうちに、ちゃんと護衛役の手配をしておいたのだ。

あまり友好的ではない成人男性４人に対して、か弱い女性がひとり、というのは心細いからね。

……いや、世間一般では。

レイコは徹夜でレイア番をやっている。

レイアは多分、睡眠は必要としないだろう。

なので、相手のことを気遣う必要なく一方的に質問を続けられる絶好の機会とばかりに、一晩中あの３人を質問攻めにしているに違いない。

……まあ、向こうは３人いるので、適宜交代して仮眠くらい取れているだろう。

子供達は、安全のためと、情操教育に悪影響を及ぼさないよう、最初に紅茶と茶菓子を運んだあとは、下がらせている。

なので、今ここにいるのは向こうが4人、こっちが私と護衛役の、合計6人のみ。

……しかし、この連中は、いつも4人一緒だなぁ。

手分けして用件を同時併行で進める、という概念はないのだろうか……。

まあ、支店が閉鎖作業中では、居場所がないのかな。作業を手伝う気なんかないだろうし。

とりあえず、椅子に座るよう促して……。

「……で、本日はアポもなく突然に、どのような御用件でしょうか？」

向こうが話し始めないので、私がよそ行きの笑顔で、にっこりと微笑みつつそう水を向けてやると……。

……どうしてドン引きで椅子を後ろにずらすんだよ！　顔を引き攣らせて……。

「あ、あああ、ああ。今日は、うちとの取引契約を結んでいただこうと思いましてな……」

「え？　レリナス商会はここの支店を畳むと聞いていますが？　なのに、何の取引契約を？」

うん、想定の範囲内だ。

「私共が求めております契約内容は、このようなものでして……」

そして差し出された契約書を読んでみると……。

「ふあっ！」

あ、いかん、変な声出た。

いや。

いやいや。

いやいやいやいやいやいや!!

日本お笑い劇場。

もう、乾いた笑いしか出て来ない。

それくらい、ふざけたというか舐めきったというか、そういう内容だった。

王都本店との契約、という形なんだけど、輸送費やら盗賊に襲われた時の損害とかはうちの負担、売買する商品の種類や量は向こうが自由に決めて指定できる、用意できなければ違約金、契約破棄の権利は向こうだけが持つ、って……、舐めてんの？

……いや、舐めてるんだろうけど……。

まあ、確かに、こんな契約を纏めることができれば、そりゃ大手柄だわなぁ……。

もし纏めることができれば、だけどね。

「却下！」

それしか、言うべき言葉がなかった。

いや、もっとまともな提案であっても、受けるつもりなんか欠片もなかったよ、勿論。

……それにしても、この内容は酷かった。

「あの～、今の取引先からレリナス商会に乗り換えて、うちにとって何のメリットが？

この契約書の通りだと、うちの利益が激減するか、赤字になるんですけど……。

それに、今の取引相手、ここの領主さんが出資されている商店ですよ？　支店を潰してここからいなくなる皆さんは構わないかもしれませんけど、ここでずっと商売を続ける私達は、領主様に喧嘩を売るわけにはいかないですよね？

本当に、これでうちが了承して契約すると思ってます？　正気ですか？」

そう、ローディリッヒから渡されたのは、相手の頭を心配してあげるレベルの、とてもまともな商人が提案するとは思えない契約内容であった。

「……ところで、宿に泊まっている親戚のお嬢さん、どこへ行っておられるのでしょうね？」

キタ～！

計画通り……。

「え？　レイアのことですか？　そりゃ、宿にいるか、街をうろついているか、街から出てどこかへ行っているかだと思いますけど。……それが何か？」

「え？」

「……」

「「…………」」

「「「「…………………」」」」

困ってる困ってる……。

それとなく行方不明のレイアのことを口にして、心配している振りをしながらレイアの身柄を押さえていることを示唆(しさ)して、契約書にサインさせる。

その予定が、相手がレイアがいなくなったことを知らないのでは、示唆のしようがない。

そもそも、誰もレイアがいなくなったことを問題視していないのに、自分達がそのことを言い出せば、『どうしてそんなことを知ってるんだよ！』という話になる。

レイアの不在を、それとなく自分達の仕業だと匂わせて、しかし断言はせず、不安を煽るだけで犯罪行為の存在は認めない。そういうやり方のはずだったのだろう。

……でも、あくまでもそれは、レイアがいなくなったことで騒ぎが起こり、ローディリッヒ達がそれを耳にした、という前提があって、初めて成り立つ方法なのである。

「「「…………………」」」

……困った。向こう側もだけど、私も困っている。

話が全然進まない……というか、始まらない。

開き直って、暴力で脅して契約書にサインさせようにも、こっちには護衛が付いている。

いくらひとりであっても、帯剣している戦闘のプロに、非武装の腹が出た商人４人が勝てるとも思えない。

抜剣して数振りされれば、４つの死体の出来上がりだ。

もし重傷で済んだとしても、押し込み強盗扱いで、死罪は免れまい。

それにここは私達の店であり、連中にとってはアウェイだ。ここにいる護衛はひとりだけど、合図ひとつで何人もが隣の部屋から駆け付けてもおかしくはない。

また、あのふたりのような、あのふたりのような子供達が、襲い掛かってくるかもしれない。

何人もの子供達が、手にナイフや包丁を握り締めて……。

うん、とても実力行使に出られるような勇気はあるまい。

その場面を想像したら。

……怖すぎる。


「……そ、その少女は、いつもどれくらいの期間、不在になるのですかな……」

「えぇと、2～3日の時もあれば、1週間から10日くらいの時も、1ヵ月以上になる時もあるかな。

しっかりしてる子だから、別に心配する必要もないし……」

「……え……」

「「「…………」」」

ありゃ、お通夜状態？

ま、このままだと私達がレイアの安否を心配してローディリッヒ達の仄めかしに反応する確率はゼロだし、心配し始めるまで待っていては締め切り……王都へ戻らねばならない日数的限界……が来てしまう。

かといって、この状況でレイアの所在について仄めかしたり心配を煽ったりすれば、自分達が捕らえて監禁しています、と自白したも同然だ。さすがに、それだと警備隊に連絡されたら困ったことになるだろう。

……手詰まり。どうしようもない。

でも、これじゃ時間が無駄になるだけで、こっちも困る。なので……。

「とにかく、私達がこんなめちゃくちゃな条件で契約するような馬鹿だと思われているというのは、心外ですね。うちが取引しているところには、レリナス商会はこういうやり方をする商会だから気を付けるよう通達しておきます。

……事実をお知らせするだけですから、問題ありませんよね？　まさか、他の者に知られては困るような恥知らずな条件での契約を要求されたわけではないでしょうから……」

「ぐっ……」

契約書にはサインしていないので、そこに記載されている『この契約の内容については、他言しないものとする』という縛りは関係ない。

いや、普通であれば当然、暗黙の了解というか、慣習というか、契約していなくてもそういうのは喋るものじゃないけれど、私達を『商売の常識を知らない馬鹿』として扱ってくれたのだから、その通り、『常識を知らない馬鹿』として行動してあげるだけだ。

常識や決まり事を守り、相手に敬意を払うのは、向こうもそうしてくれる場合だけだ。

無法者のゴロツキに、こっちだけが相手に配慮して紳士的に振る舞ってあげる必要はないよね。

ローディリッヒが何も言わないのは、こんな地方都市で、他の街に支店があるわけでもない中小の商店に多少おかしな噂が流れたところで問題ないと思っているからであろう。

ここの支店は引き払うのだから、王都に本店を構える大店、レリナス商会にとっては何の影響もない、と考えて……。

ローディリッヒは、ムーノさんの店の支店が王都にあるということを知らないだろうからねぇ。

「……邪魔をした」

おや、諦めて帰るのか……。

まあ、手詰まりだからどうしようもないか。いったん引き上げて、4人で方策を練り直すつもりなのかな。

……でも、そんな時間はないんだよねぇ……。

＊　　＊

「あ、首尾はどうでした？」

「…………」

カオルが、『リトルシルバー』から引き上げたローディリッヒ達の後を尾行ていくと、予想通り、連中が一時的な根城にしている街外れの小さなあばら屋に到着した。

行き先が支店の方向ではないと分かった時点で、目的地がここだということは予想がついていた。

行き先が分かっている尾行など、簡単である。

特に、獲物がいらいらしていて、注意力が散漫になっている場合には……。

そして、あばら屋に入ったローディリッヒ達に誘拐の実行係だったひとりが声を掛け、それを不機嫌そうな顔で無視したローディリッヒ。

（（あ～……））

そして雇い主の様子から、どうやら計画は不首尾に終わったらしいと察した3人。

しかし、それは自分達の担当範囲外である。

自分達は、揉め事を起こすことなくうまく少女の拉致に成功し、本人に疑問を抱かせることなく、半日間の徹夜での子守りに成功している。ここまで、依頼事項は完璧にこなしているのである。

あとは、雇い主の指示で少女を解放するだけであった。

今回の事は、子供好きの優しいおじさん達が、自分の意思でついてきた女の子にお菓子をたくさん食べさせてくれただけであり、事件性など皆無、ということにして……。

普通であれば、絶対に通らない言い訳である。

しかし、ひとりで宿屋での長期滞在をしている少女であれば、保護者がいるわけでもなく、その行動は本人が判断し決定すべきものであろう。

ならば、本人が望んでここでひと晩を過ごしたいと言えば、それを受け入れることに何の問題もない。

そう強弁できなくはない、という、強引な理由付けであった。

少女を帰した後はすぐにこの街を離れるので、『容疑者不明』ということになるため、それで問題ないと考えたのであろう。

確かに、10歳未満の少女の証言だけでは、モンタージュ写真もテレビも新聞もないこの世界では指名手配もできないであろうし、凶悪犯罪が多い世界で、子供にお菓子を食べさせただけの者に懸賞金をかけたり他の街まで捜査の手を伸ばすことなどあり得ない。

そして少女は、お菓子の味と量には文句を言ったものの、そう機嫌を損ねることなく一晩中男達と話し続けた。

……レイアにとって、相手に迷惑をかけることなく何でも聞きまくり、時間を気にせずいくらでも質問攻めにできる、初めての機会であった。そのため、眠る必要のないレイアは一晩中質問を続け、かなり満足したのか、機嫌が良かったのである。

3人の男達は少々ぐったりとしていたが、これも仕事であるため、不満そうな様子はない。というか、幼い少女のお相手という仕事は、普段の殺伐とした仕事に較べ、かなり楽しかったのかもしれない。

＊　＊

「特に変わったことはなし。夜通し、レイアの質問攻め。

あの男達、頑張って真面目に相手していたわよ。結構気のいい連中なのかも

「……」

「気のいい幼女誘拐犯はいないよ！」

レイコの報告に、それはない、と突っ込む私。

……そう、勿論ここへ着いてすぐ、レイコが私に近付いてきて、私をその隠蔽フィールドの圏内に入れてくれている。

なので、かなり大胆に中を覗いても、普通の音量で喋っても問題ない。

人が住んでいないあばら屋なので、覗き込む隙間には不自由しないし、中の声も丸聞こえだ。

中では、ローディリッヒ達が雇われた男達を無視してレイアを問い詰めている。

曰く、お嬢様のくせにどうしてそんなに勝手に行動するのか。

曰く、どうして護衛がいないのか。

曰く、実家の家名は何なのか。

曰く、お前は『リトルシルバー』の者達とどういう関係なのか。

そして、それらに対するレイアの答えは……。

「知らないわよ、そんなこと……」

確かに、家名なんかないだろうし、私達との関係と言われても、説明が難しいだろう。

護衛がいない理由とか、ひとりで自由に行動する理由とかも説明が難しいし、そもそも、そんなことを説明してやる義理もない。

「あ、関係は、『金蔓』かな？　向こうが、私の……」

レイアが、そんなことを言い出した。

うん、まぁ、間違っちゃいないな……。くそっ！

しかし、子供にそう言われて、納得するようなローディリッヒではない。

「こっ、このガキがっ！」


「あ、来た！」

ばぁん！


「動くな！　少女誘拐犯め、少しでも動けば、殺す!!」

「「「「「えええええええ～～っっ!!」」」」」

生意気な口を利いたレイアを殴ろうとして腕を振り上げたローディリッヒ。

レイアを護ろうとしてその前に割り込んだ雇われ誘拐犯。

ドアを押し開けて踏み込んだ警備兵達。

固まるローディリッヒの取り巻きと、雇われた男達。

うん、勿論、昨夜のうちに警備隊に話を付けておいたのだ。

うちの親戚の貴族の少女が攫われたから、助けてくれ、って。

そして、色めき立つ警備兵のおじさん達を必死で宥めた。『黒幕も一緒に、一網打尽にしたいか

ら、明日まで待ってくれ』って……。

普通であればそんなの通るわけがなく、すぐに動いただろう。

……なにせ、貴族の少女の誘拐だ。下手をすればこの街の評判が地に落ちるだけでなく、領主や治安維持の責任者とかもただじゃ済まない可能性だってある。

しかし、そこが『普段の行いによる、信用』だ。

人質だから身の安全は保障されていること、そして手柄は全て警備隊のものにするし、事件が無事解決すれば国元から送ってきた高級酒を差し入れる、と言うと、渋々ながらも了承してくれたのである。

勿論、勝手に動かれないよう、この場所を教えたのは、ついさっきだ。

昨夜の時点で私がここのことを知っているというのは、おかしいしね。

ローディリッヒ達がうちから引き上げ、私がそれを尾行するため『リトルシルバー』を出る時に、砂時計（10分用）をひっくり返した。

そしてこの砂が全部下に落ちたら、昨夜指示した通りに、渡しておいた手紙を警備隊に届けるように子供達に言っておいたのだ。

どうせ子供達は『時間調整』だとか『ゆっくり歩く』だとかの指示は守れず、全力で走るに決まってる。だから、物理的に間違いのない時間調整の手順を踏ませたわけだ。

そして丁度頃合いの時間に、地図付きの手紙を受け取った警備兵が押っ取り刀で駆け付けた、という次第。

……いや、実際には、昨夜予告しておいたのだからちゃんと準備万端だったのだろうけどね。

ま、とにかくそういうわけで、実行犯、黒幕共々、現行犯逮捕というわけだ。

うむうむ。

「お嬢ちゃん、レイアちゃんかな？」

「うん」

警備兵の指揮官が、レイアに優しく質問した。

「どうしてここにいるのかな？」

「昨日、この人達に『美味しいお菓子を食べさせてあげる』と言われて、ここに連れて来られたの。

でも、約束が違った。そして昨日から今まで、ずっとここにいた」

「捕らえろ！　全員縛り上げて、しょっ引けぇぇぇ～～!!」

あ～、ま、そうなるわな……。

レイアの言う『約束が違った』というのは、お菓子がこの子の基準からすると『美味しいお菓子』じゃなかった、という意味なのだろう、多分……。

でも、警備兵達には、違う意味に聞こえただろうなぁ……。

よし、そろそろ私達も顔を出すか……。

レイアだけだと、うまく説明できないだろうからね。

「レイコ、隠蔽魔法解除！」

「了解（ラジャー）！」

そして、ドアから中へ飛び込んで……。

「ああっ、レイア、よくぞ無事で！　昨夜から行方不明だと聞いて、警備隊の皆さんに捜索をお願いしていたのよ！

警備隊の皆さん、レイアを誘拐犯からお助けいただき、ありがとうございます！

もし皆さんにお助けいただけていなければ、おそらく、私達から身代金を取り、その後どこかへ売り飛ばされていたに違いありません。凶悪な少女誘拐・人身売買組織の魔の手からレイアをお救いいただき、本当に感謝の言葉もありません！」

「「「「「ええええええええ!!」」」」」

いつの間にか、どんどん罪状が膨れあがり、凶悪犯になってしまっていることに驚愕の叫びを上げる男達。

「宿に戻らなくても気にしない、って言ったじゃないかぁ!!」

そんなことを喚くローディリッヒであるが……。

「誘拐犯の黒幕の第一候補に、本当のことを言うはずがないでしょうが。

そして、尾行されることを考えもせずに、真っ直ぐ隠れ家に向かうとか……。馬鹿なのかな？」

「ぐうっ……」

ぐうの音も出ない……、って、出てるか。

まぁ、本当は昨夜のうちにここのことは判明していたんだけどね。

「……本当の悪党は、ソイツら。こっちの3人は、そこまで酷いことはしないと騙されて、1日子供の相手をするだけだということで雇われただけ。

さっきも、私を護ろうとしてくれた……」

えええ、という表情で眼を剝いた3人であるが、レイアの言葉は死ぬ程ありがたいであろう。

何せ、下手をすれば死罪である。それを、百叩きの刑で済むくらいの軽い罪になる可能性を与えられたのだ、そりゃ額を地面に擦りつけるくらい感謝して当然だ。

ま、人間なんかアリンコくらいにしか思っていないレイアがそんなことを言い出したんだ、多分、夜通しのお話で、この連中に愛着でも湧いたのだろう。レイアにとって、アリンコからハムスターくらいには昇格したのかな、この連中……。

いや、もしかすると、人間との交流が深まって、全ての人間がアリンコからハムスターくらいに昇格している可能性もあるか。ミーネのことも、何かすごく意識しているみたいだったからな、レイアの奴……。

もしかすると、いい傾向なのかな、これ。

いきなり機嫌を損ねて大量殺戮……悪気はなく、人間が殺虫剤を撒く程度の感覚で……とかをする確率が少しでも下がるなら、とてもいいことだな、うん。

「うむ、確かに、我々が踏み込んだ時、この男はレイアちゃんを護ろうとしていたな。

その証言、確かに聞いた。報告書にはちゃんとそう記載するから、安心するように！」

警備隊指揮官のその言葉に、ぼろぼろと涙を溢し頭を下げる３人。

うん、これもかなり心証を良くしただろう。

警備隊の人達も、うんうんと頷いているし……。

一方、ローディリッヒ達は……。

「知らん！　私達は、無人のはずのあばら屋から子供の声が聞こえたから、心配して覗いただけだ！

そして、怪しい男達から少女を助けようと、男達に殴りかかろうとしていたところだったのだ！」

「あ～……」

「無理がありすぎる……」

「往生際が悪い……」

「反省の様子なし……」

「先程の、『宿に戻らなくても気にしない、って言ったじゃないかぁぁ!!』という発言との整合性が、全く取れていない……」

警備隊の人達全員、かなりの酷評である。

そして……。

「あ～、俺達にいくら弁明しても無駄だぞ。俺達は、犯罪者を捕らえるのが仕事であって、裁いて刑罰を言い渡すのはもっと上の人だ。

だから、俺達は見聞きしたこと、つまり事実と証言を上に報告するだけであって、その真偽を判断する立場じゃねぇ。弁明は、取調官にしてくれや」

尤もな言い分だ。

ローディリッヒもそれを聞いて理解したのか、必死で喚くのをやめた。

「では、あとはお願いします。証言が必要な時には、連絡していただければすぐに行きますので

……。

その時には、この連中がレイアを盾にして理不尽な契約を要求したこととかも……、あ、この街と王都の商業ギルドにもそのことを報告しなきゃ。この連中の所属は王都だし、働いている商会の本店は王都にあるのですからね。誘拐の指示も、本店から出されたものかもしれませんし……」

「なっ！」

私の言葉に、愕然として眼を見開くローディリッヒ達。

うん、そんなことになれば、次期商会主の座どころか、商会そのものがなくなってしまうだろう。

何しろ、自分達に有利な契約を強要するために他国の貴族の少女を誘拐して脅迫するような商家だ。他国との間に大問題を引き起こしそうな、そんなヤバい連中を国王が看過するはずがないし、そんな噂が広まった時点で、商会は終わるだろう。

何せ、いつ商会主が捕縛されて店が潰れるか分からないような店だ。そんなところと関係を持ったり、掛け売りをしたりする店はあるまい。

そんなの、代金の回収ができなくなるリスクが大きすぎる。

そして、自分達にまで犯罪行為の疑いの眼が向けられては、堪ったものではないだろう。

……ただ、自分の方が代金後払い、という取引だけは喜んでする可能性はある。

店が潰れれば、そのどさくさに紛れて支払いをバックレる、ということを狙って。

商人なんか、みんな、そういうものだ。


あれ、ローディリッヒ達は、驚きの声を上げたあとは、何も言わないな……。

ま、王都の本店からの指示だと言えば、自分達の罪は少し軽くなるかもしれないけれど、そうなれば店は潰れ、自分の家族も路頭に迷うだろう。それならば、素直に自分達だけが罪を被った方が、と思うのが当たり前か。元々、それが事実なのだし……。

そもそも、実家を巻き込んだところで、大して変わらないだろうし。

子供を傷付けてはいないということから、おそらく極刑は免れるだろう。うまく言い逃れることができれば、かなり軽い刑罰で済む可能性もある。そして父親に連絡がつけば、賄賂とか政治的な工作とかで、何とかなるかもしれない。

……そんなことを考えて。

実家の店が無事であれば、もし犯罪奴隷となっても、助けてもらえる。父親に労働期間の雇用権を買ってもらえばいいのだ。そして刑罰期間を終えた後も、助けてもらえる。そう期待するのも無理はない。

……勘当されて完全に縁を切られる、という可能性とかは考えてもいないのだろうな。

その辺りは家族の問題であって、私には関係ないし、知らない家庭の絆（きずな）の強さなんて分からないから、スルー。

そして、後のことは警備兵の皆さんにお任せして、レイアを連れて帰宅。

行き先は、レイアが泊まっている宿屋ではなく、『リトルシルバー』だ。

うん、地下の司令部で、報酬を渡さなきゃなんないからね。

本当に美味しい食べ物、ってやつを……。

そう、『日本の高級スイーツと同じ見た目と味の、健康にちょっぴり良い効果のあるポーション』とかだ。

ポーションは液体のこと？　いや、スイーツにも液体成分は入っているから、問題ない。別に、カラカラに乾いた干物というわけじゃないのだから。

それに、料理用語では、ポーションというのは『一部分』とか『一人前』とかいう意味だ。だから、何の問題もない。強くそう念じれば、『神様工房』の審査をパスするのだ。

……既に、レイコ、恭ちゃんと3人で何度も女子会を開き、実戦証明済み（コンバット・プルーフ）なので、安心だ。

いや、勿論、それ以前にも飲食物は色々と出していたけどね。

とにかく、これでローディリッヒ関連のことは一段落したから、恭ちゃんが戻ってきても大丈夫だ。

これ以降、ローディリッヒ達は、警備隊、牢（ろう）、懲役代わりに働く場所以外には姿を現さないし、もしかすると王都へ送還されるかもしれない。いずれにしても、恭ちゃんと顔を合わせることはないだろう。

もし出会ったとしても、とても恭ちゃんと商人サラエットの共通点に気付けるような状態ではないだろうから、まず問題ないと考えてもいいだろう。

よし、レイアに報酬を渡したら、すぐに伝えてあげよう。

＊　＊

「お疲れさまでした！　今回は、手伝ってくれて助かったよ。

はい、どうぞ、心ゆくまで食べてね！」

『リトルシルバー』に戻り、子供達に事件解決のことを知らせて安心させてやり、そして私の部屋から地下へ入って、司令部でレイアに報酬の料理とスイーツを提供した。

すると、レイアは私の方を見て……。

「ん。でも、その前に、今までの割増し分と解決金の金貨を貰っておく」

くそ、忘れてないか……。

セレスもレイアも、何でも作れるくせに、『お金』は造らないのだ。

お金は、その国の信用力を具現化したものだから、食べ物や宝石を作るのとは違い、他者が造ればそれは『偽造品』、偽物だから駄目、ということらしい。

このあたりのは金の含有量で価値が決まるから、国の信用力とはあまり関係ないとは思うんだけどねぇ……。

ま、そういうわけで、私も貨幣は造らないことにしているから、金貨はちゃんと自分で稼いだやつだ。

金貨が駄目なら、宝石や金塊、つまり金のインゴットを作れば、と思っても、小娘がそんなものを換金しようとすれば、警備隊を呼ばれるならばまだマシな方で、下手をすれば、換金どころか監禁、拷問コースだからねぇ……。悪党ホイホイもいいところだ。

「お代わりＯＫだからね。欲しい物があれば、遠慮なく言ってね」

「ん」

まぁ、レイアが下等生物(にんげん)如きに遠慮するとは思っていないけどね……。

第七十二章　トレーダー商店

『了解！　あ、そうそう、店長雇ったよ〜！』

「え？」

レイアが帰り、通信機で恭ちゃんに問題解決の連絡をしたところ、そんな返事が……。

『いや、さすがに私ひとりでずっとこっちにいるの、ちょっと辛くない？』

「「…………」」

うん、さすがに、それは私達も気にしていた。

『だから、店長要員を雇ったの。これで、私は時々売り物の補充に顔を出せばいいだけになったから、そっちでゆっくりできるようになったよ！』

「「…………」」

ま、まあ、それは良いことだ。

これで、３人それぞれ、『時々の出張』以外はここでのんびりできる。

あ、ローディリッヒ達の件でしばらく出張に行っていないから、私もレイコも、そろそろ行かなくちゃ……。

＊　　＊

「じゃ、もうすぐ戻るからね～」

よし、香と礼子への報告も終わったし、明後日あたり、『リトルシルバー』に戻ろうかな。

雇った店長は、商工ギルドのギルマスと副ギルマス御推薦の、どこかの商家で手代をやっていた人らしい。

手代といえば、日本での係長か課長くらいかな？

丁稚が平社員から主任くらい、手代が係長から課長、番頭が部長以上で、大番頭が専務あたりかな……。

それから考えると、店長が手代というのは力不足のような気がしないでもないけれど、大会社の課長が零細商店の店長をやると思えば、過剰戦力のような気もするよね。

まぁ、そのあたりも考えての人選なのだろうから、そこはギルマス達を信じよう。

以前、他の商家の者は信用できないからと言って断ったけれど、それは誰を雇っても同じことだと気付いたので、ギルマスからの紹介を受け入れたのだ。

そう、信用できるかどうか分からない一般人と、信用できるかどうか分からない商工ギルドの紹介であり保証付きの商売経験者。どちらがマシか、考えてみた結果だよ。

……ある程度のリスクは仕方ない。

勿論(もちろん)、ちゃんと教育したよ。

2階への立ち入りは禁止。

ここで見聞きしたことの他言禁止。秘密の厳守。

孤児院から雇っているふたりは、共に私が直接雇用した者達であり、店長と店員という上下関係はあるものの、『私に雇われた、同僚』であること。

パワハラ、セクハラの禁止。

犯罪、裏切り行為の禁止。

そして店員のふたりには、こっそりと伝えてある。

もし店長からのパワハラやセクハラがあった場合、直ちにそのことを商工ギルドに伝えて孤児院に戻り、私が行くまで店には行かないこと、と。

勿論、ふたりが店をクビになることを恐れて泣き寝入りしないよう、『この命令が、店長の命令より優先される。私の命令に従わず店長のいいなりになった時点で、私を裏切ったものとみなして解雇する』と言っておいたから、多分大丈夫だと思う。

本当は店長も女性にしたかったけれど、ギルマスに、女性の手代なんかいない、って言われたんだよね。

それが本当なのかどうかは分からないけれど、確かに、花屋のおばさんや飯屋のおばさんとかは女性経営者として存在しているし、小さな店の売り子や会計係には女性従業員もいるけれど、大きな商店にいる女性は、商業使用人、つまり『店員』ではなく、家事使用人……掃除婦や調理場の下働き、お茶汲みとかの、この世界での『下女』という類いの人達ばかりだった。

なので、ギルマスが紹介してくれた男性を雇うことにしたのだけれど、勿論、安全措置は充分に施したよ。

ふたりの女性従業員と、この店と、……そして秘密を守るために。

＊　＊

「あ〜、早かったなぁ……」

充分な慣熟期間を置いてから、もう大丈夫だと思って5日間程『リトルシルバー』に戻っていた。

そして店に戻ってくると、立ち入り禁止にしている2階に仕掛けておいたもの……ドアを開けると切れる髪の毛とか……を確認し、侵入者がいたことを把握。

そして、画面内に動くものがあった時刻を記録してくれる便利な監視カメラの映像を確認。

その後、店長に異状の有無を確認し、『異状なし』との報告を受けたわけだけど……。

当然のことながら、その日の営業を終えて閉店、3人の被雇用者達が帰った後、孤児院へと向かった。

……ふたりの店員から、話を聞くために。

＊　＊

「紹介していただきました男を、引き取ってくださいな」

孤児院から直行で商工ギルドへ行き、ギルマスとの面会を求めたところ、すぐにギルマスの部屋へと案内された。

そして、部屋に入ると同時に、ギルマスと副ギルマスに向かって笑顔の私が口にしたのが、この言葉だ。

……まだ、座ってもいない。

「え？」

間抜けな声を出したギルマスに、追撃の言葉を。

「いえ、ですから、私の不在時に、絶対立ち入り禁止と申し渡していた私の私室に侵入しての家捜(やさが)し、商品の横領、そして女性従業員に対する暴言と脅迫行為により、解雇致します。逆上して暴れられると怖いですし、あんな犯罪者を紹介した、保証人としての責任を取っていただきたく……」

「「…………」」

驚愕(きょうがく)に顔を引き攣(つ)らせ、口をあけたまま固まっているギルマスと副ギルマス。

「いえ、信用できる店長要員の心当たりがなくて雇用を躊躇(ためら)っている私に、あなた方が保証して紹介されたんじゃないですか、あの男を。責任取ってもらえるんですよね、勿論……。

解雇と横領物の返還を申し渡して、逆上して襲い掛かられたら大変なので、そちらで引き取ってください。

本当ならば警備隊に引き渡したいところですが、証拠を見せると、うちの秘匿技術や防犯方法を晒(さら)すことになりますし、金銭的な被害は僅かですから、軽い処罰で済む確率が高いですからね……。

懲戒解雇とし、アレを差し向けた黒幕、その他諸々を吐かせて教えていただけるなら、引き取っていただくだけで済ませることも可能です。

もしそれがお嫌でしたら、私が自分で調べ上げ、それなりのやり方で始末を付けることになりますが……。

その場合、勿論、ギルドが保証して送り込んだ商人が何をやらかしたかということをこの街、近隣都市、そして王都の商業ギルドにもお知らせすることになりますが……。

他の被害者を出さないためには情報の共有は必要ですから、良き商人、良きギルド加盟店としては、当然の義務ですよね？」

殊更(ことさら)に、笑顔で、丁寧な言葉遣いで説明してあげた。

もう信用してないよ、あくまでも事務的に会話しているだけだよ、ってことがよく分かるようにね。

……何だか顔色が悪いね、ギルマス、副ギルマス、そして案内してくれた受付嬢さん……。

でも、自分達がしでかしたことなんだから、責任逃れは許さないよ。

というか、アレにうちの調査を命じたのがアンタ達だっていう可能性も見落としちゃいないよ？

「ち、違う！　私達が命じたわけじゃない、本当だ！　な、何があったのか、詳しく教えてくれ！

……い、いや、教えてください……」

＊　　＊

「……というわけで、初の長期不在……といっても、僅か5日間だけど……の間を任せただけで、立ち入り禁止区画だとか私の私室だとか、隅々まで家捜しして調べ尽くしてくれちゃったワケですよ。

そして更に、商品のちょろまかしと、女性従業員に対する侮辱的な言動と、私に余計なことを言えば『商品を盗んだ』と報告してクビにする、との脅迫行為。

商品の横領は、横流しして儲けるというには量が少なすぎるから、おそらく模倣するための分析用でしょう。つまり、単独犯ではなく、後ろに黒幕がいる、ってことですよね？

商家、もしくは商工ギルドのような組織が……」

「違う、違いますっ！　うちは全く関与していません！　すぐに調べて証明して見せますから、は、早まらないでください！　1日、1日でいいですから、時間をください!!

おい、すぐに捕縛チームを編成してアイツを捕らえろ！　お前は元拷問吏のベトルを連れて来い、特別報酬を出すから今すぐ来い、と言え！」

おお、焦《あせ》ってる焦ってる……。

ギルマスに指示されて、副ギルマスと受付嬢は部屋から飛び出していった。

こりゃ、本当にギルドは無関係なのかな？

＊　　＊

翌日、ギルドから呼び出しが来た。

うん、新米ハンターが伝言を持ってきたわけだけど……。

「そちらの不始末で、どうして私がわざわざ足を運んでアウェーで話を聞かなきゃならないのですか。

話があるならそちらが来てください、って伝えて頂戴。おかしな真似をしようとしたら、天井から槍《やり》が降りそそいだり、椅子から毒針が飛び出たりするかもしれない、ウチの応接の間で話を聞いて差し上げます、って……」

あ、真っ青になって走り去った。

嫌だなぁ、軽いジョークなのに……。

降りそそぐのは槍じゃなくて電撃だし、針に塗ってあるのは毒じゃなくて痺《しび》れ薬だよ。

そして、2時間後に来た。ギルマスと、知らない男性が。

アレかな？　もしもの時にギルドのトップと次席が同時にやられるのを防ぐため、次席者は残した、とか？

そして、なぜかギルマスともうひとりの男性は、革の防具を身に着けている。……さすがに、武器は持っていないようだけど。

……いや。いやいやいやいや、冗談を真に受けないでよ……。

それに、金属鎧じゃないと毒針は防げないよ。

電撃には強いだろうけどね。

「……ちょ、調査結果の報告に来た……」

そう言ったギルマスの声が震えている。

「いや、ビビリ過ぎでしょ！　ただの、小娘の冗談でしょうが！」

「「…………」」

ちょっと反応が強すぎるなぁ……。

あ、もしかすると、私は優しくて温厚でも、隠れ護衛（そんなのはいない）とか、報告を受けた親元（そんなのはいない）とかが報復行動を、とか考えてるのかな？

うん、それならば心配するのも無理はないか……。

「じゃ、とりあえず、そこに座ってください」

そう言って、商談用の席を指し示したけれど、ギルマス達は動こうとしない。

「「…………」」

「その椅子には、『飛び出す毒針』の仕掛けは付いていませんよ」

「「…………」」

遣いの新米ハンターにはああ言ったけれど、ここには『応接の間』なんてないし。

部屋数が少なくて、そんな滅多に使わないような部屋を用意する余裕なんかないよ。


たっぷり30秒くらい躊躇った後、ようやくふたりは席に着いてくれた。

「いったん店を閉めて。それと、お茶を……」

ふたりの店員達が、ドアに『休憩中』の札を掛けてロック、そして紅茶と茶菓子の用意をするために奥へと引っ込んだ。

勿論、店にいるのは孤児院のふたりだけ。雇われ店長の男は、出勤していない。

……いや、出勤できない状態なんだろうけどね、勿論。

「……で、どうでした？　吐きましたか、あの男……」

「うむ。取り調べた結果、奴は私達が保証した通りの男、つまり主人を決して裏切らない、忠実で誠意ある使用人であることが再確認された」

え？

「だって、事実、裏切って……」

「いや、主人を裏切ってはいない」

どういうことよ？

「トレーダー商会に雇われて、商品の仕入れ先や品物の製造場所を調べよ。また、商品の見本品（サンプル）をいくつか持ち出せ、という、本来の主人からの命令を、忠実に守っただけだ。なので、私達が保証した、『この男は主人を決して裏切らない、誠実で忠実な使用人である』ということは、決して嘘（うそ）ではない！」

「な、な、な……、何じゃそりゃあああ〜〜！

そんな言い分が、通るかあああああ〜〜!!」

「……あ、やっぱり？」

＊　＊

ふざけたギルマスを締め上げて、キッチリ、全部説明させたよ、勿論。

それによると……。

証拠が公（おおやけ）にできないため、警備隊に引き渡して調べてもらうわけにはいかない。

なので、取り調べは商工ギルドの地下室で、秘密裏に行われたらしい。若い頃に他領で拷問吏をやっていたというお爺（じい）さんを呼び出して……。

お爺さんは、臨時収入、そして自分の能力が必要とされ頼られたことに驚喜し、異様に張り切っていたとか……。

私の申し立てだけでそんなことができるのか？

いや、孤児ふたりの証言があるし、私が『確実な証拠がある』と断言しているからね。

そもそも、私が、雇って間のない店長要員を嵌める理由がないよ。

追い出したければ、勝手にクビを宣告すれば済むだけの話だよね。ここじゃあ、被雇用者の権利なんかないから……。

それに、なぜかここでは私は絶大な信用があるみたいなんだよね。

この件は、商工ギルドの信用問題だから、向こうも必死なんだろうな、多分……。

そして元店長は、元拷問吏のお爺さんとふたりきりになってから僅か数分後、ぺらぺらと色んなことを囀ってくれたらしいんだ。爪の内側に銀色のアクセサリーを何本も刺した状態で……。

拷問に耐えられるように訓練を受けたプロの工作員、ってわけじゃなく、ただの商家の使用人なのだから、まぁ、仕方ないよね。

「……で、主人に忠実、というのは、『潜入を命じた、本来の』主人に忠実、孤児は部下でも同僚でもないという認識。

そして『オーナーは、孤児が言うことと私が言うこと、どちらを信用すると思う？』とか言って、店員のふたりを脅したわけですね？

そんなの、分かり切ったことですよね。私がどちらを信用するか、なんて……。

自分の行いが大勢の後輩の孤児達の人生を左右するというプレッシャーに耐え、店のお金や商品を守るためなら命も惜しまないような馬鹿よりも信用できる者なんか、そうそういやしないですよねぇ。

……そう思いませんか？」

「「…………」」

あれ？　即答されると思ったんだけどな、肯定の返事で……。

「しかし、ようやくのんびりできて頻繁に帰省できると思っていたのに、それがまた遠のいたわね。

……裏切り者と、『悪意ある敵対者』のせいで……。

これは、同じようなことを考える者が出ないよう、懲らしめてやる必要があるわよね……」

……笑顔で。あくまでも笑顔のままでそう言うと、なぜかギルマス達が顔を引き攣らせている。

どうしてかなぁ？

他者を攻撃していいのは、反撃される覚悟のある者だけだよね。

笑いながら思い切り殴りつけたのが、鉄の塊だったならまだしも、毒が塗られた剣山だったということもある。

それを、教えてあげなくちゃ……。

＊　　＊

ローディリッヒの取り調べの結果を待っている私達のところへ、恭ちゃんからの連絡が来た。

『雇った店長要員がスパイで、裏切られた。ちょっと不愉快なので、軽く対処するね』

「恭子（きょうこ）の、『ちょっと不愉快なので』が出たわ……」

「恭ちゃんの、『軽く対処するね』が出たね……」

「「ぎゃあああああ～～!!」」

「……せかいがはめつする……」

「止めに行かなくちゃ……。と言っても、今はローディリッヒの件で警備隊に呼び出されるかもしれないから、ここを空けられないし……」

そう、それがあるんだよねぇ……。

「私かカオルの、どちらか片方が行く？」

「いや、ふたりで行かないと、ひとりじゃ恭ちゃんを止められないよ……。よし、証人は他の人に任せよう！　うちでのことは護衛の人が証言できるし、あばら屋でのことは踏み込んだ警備隊の人達が証言できる！　レイアにも、証言内容の打合せをしておけば大丈夫！　今更、どうあがこうがローディリッヒには逆転の目はないだろうし……」

「よし、後のことは護衛の人に任せましょ！　とりあえず、通信機で恭子に『私達も行くから、ちょっと待て！』って連絡しましょう」

「「よし、作戦開始！」」

レイアと護衛の人には、私が説明しないと駄目だ。

私は『セレスのお気に入り』だから、レイアからも下等生物としては比較的いい扱い……ほぼ対

等に会話……をしてもらえるから。

セレスによって転生させてもらったという点ではレイコも恭ちゃんも同じだけど、地球の神様モドキのミスで死んだお詫びと補塡、という私と違い、あのふたりは天寿を全うしていて、自分から賠償請求したクチだからねぇ。

だから、人……神？……の好い地球の神様モドキが転生させてくれたものの、それは私に対するようなお詫びの気持ちからじゃないから、そんなに気に掛けているわけじゃないだろう。

……というか、あのふたりの転生って、レイコと恭ちゃんに対する補塡じゃなくて、『人生において、ふたりの親友との楽しい触れ合いを奪われた私への補塡』なんじゃなかろうか……。

いくら私……レイコと恭ちゃんにとっての友人……が死んだからといって、それだけでチート特典付きの転生をさせてもらえるほど、世の中甘くはないよねぇ……。

だから、私とつるんでいた頃の昔の記憶は鮮明になってて、その後の記憶は薄れていてあまり表に出て来ないとか、精神が肉体に引きずられて若い頃の感性に戻っているとか、色々と私にとって都合のいいように……、って、それは考えまい。

レイコはレイコで、恭ちゃんは恭ちゃんだ。私の親友の……。

……まあ、そんなことはどうでもいい。

とにかく、それが伝わっているのか、セレスもレイアも私に対する態度に較べて、レイコと恭ちゃんに対してはちょっと対応がしょっぱいんだよね。

レイアなんか、レイコや恭ちゃんよりも子供達……特にミーネとかの方を重要視している気配があるくらいだ。

なので、レイアと重要な話をするのは、私の担当だ。

護衛の人の方も、依頼をしたのは私だし、色々な調整を行ったのも私だから、当然のことながらこのお願いをするのもレイコより私の方が適役だ。

レイコには、恭ちゃんへの連絡と、子供達への説明を担当してもらおう。

＊　＊

「……じゃあ、後のことは頼んだよ。予約の品の配達についてはミーネが管制。みんなの食事やおやつについてはイリーが管理してね。

ミーネ達を襲った連中は捕まったから問題ないとは思うけど、街へ出る時は必ずふたり以上で、防犯装備を忘れないこと！」

「「「「はいっ！」」」」

＊　＊

「行かれましたね……」

「行っちゃったね……」

「「「「…………」」」」

カオルとレイコが恭子の店がある街へと向かい、子供達だけとなった『リトルシルバー』。

早速、カオル達の留守を任されたミーネが張り切って指揮を執（と）り始めた。

「カオル様から指示されたのは、定期的に商品をお届けしているところへの配達と、そのための商品を作ることだけ。後は、私達に必要な食べ物や消耗品の購入と、食事を作ったり勉強したりすること……。

お客さんの新規開拓や、在庫を増やすための増産はしなくていい。たまにはのんびり、自由に好きなことをしていなさい、って言われたけど……」

「うん、『しなくていい』ということは、別に『してはいけない』ということじゃない！」

「そして、私達が自由に、好きなことである『カオル様達のために働き、奉仕する』ということを実施するのも、御指示通りだから全く問題ない……」

「「「「うん！」」」」

「いつも、お三方の誰かがここに残ってるし、朝2の鐘（午前9時）から夜1の鐘（午後6時）まで以外は仕事をさせてもらえないし、その他にも昼食と食休み、昼2の鐘（午後3時）のおやつ休憩、1時間ごとの休憩とかで仕事が細切（こまぎ）れにされて、思い切り働けない……」

「おまけに、週に1日、働けない日があるし……」

「「「「拷問かっ‼」」」」

子供達は、孤児院のためにいかに役に立つか、どれだけ自分が貢献できるかということに全てを懸ける生活をしていたため、『働けない』、『役に立てない』、『貢献できない』ということに強いストレスを感じるのであった。

……しかし、カオル達に10歳以下の子供達を過度に働かせることなどできようはずもない。

元々、10歳以下というのは遊びと勉強だけに日々を費やすべき年齢である。

それを、この世界での常識と子供達の将来のことを考えて、妥協に妥協を重ね、やむなく働いてもらっているのである。なので、これ以上子供達の労働時間を増やすことなど、あり得なかった。

今でさえ、『研修』とか『現場確認』とかの理由を付けて、何とか平日にあちこちへ勉強（あそび）に連れ回す回数を増やそうと努力しているくらいである。本人達（こども）の意思に反して……。

「とにかく、お三方がいないこの機会（チャンス）に思い切り働いて、『休養日』などという不要で無意味で害悪な行事は撤廃するよう、再考を促（うなが）すのよ！」

「「「おおっ!!」」」

「じゃあ、まずは畑の拡張と、地下室の大掃除ね。

あ、掃除するのは地下1階だけよ。

……なぜか私達がその存在を知らないということになっているらしい、それより下の階には、入っちゃ駄目よ！」

「「「おおっ!!」」」

あれだけしょっちゅう、出掛けた形跡もないのに3人が姿を消すのである。地下1階も含めて。

そして、3人それぞれの個室から地下室への隠し階段があることは、皆に公表されている。

それらから考えて、地下1階から更に下へと続く隠し階段がある。

もしくは、地下1階を経由せず、そのまま更に下の階へと続く別の直通階段がある。

子供達はそう推測していたし、女神様が子供達に簡単に隠し事を見破られるような失敗をするはずがない。

なのでこれは、『信頼しているお前達には知らせておくが、表向きは知らないということにしておくように』という、何らかの深いお考えの基に行われていることであろうと考え、敢えてそのことに触れることはなかったのである。

おそらく下層には不測の事態に備えたものが用意されており、子供達が本当に女神様方に認められた時、それが自分達にも開放されるのであろう、との期待を抱いて……。

とにかく、子供達はカオル達3人を女神様だと信じ込み、その使徒となれた幸せを嚙みしめながら、懸命に働くのであった。

……カオル達の考えなど、知ることもなく……。

＊　＊

「これより、少女誘拐事件についての取り調べを行う」

警備隊の取調室において、ローディリッヒの取り調べが始まろうとしていた。

取調官の宣言に、頭を下げるローディリッヒ達、7人。ローディリッヒ、腰巾着3人、雇われた誘拐の実行犯3人である。

今回は重要な案件ということで、領主がオブザーバーとして立ち会っている。

被害者が他領か他国の貴族の娘らしき少女であり、犯人がここの領民ではなく王都民であることから、下手をすると大きな問題となる可能性があるのだから、当然のことであろう。

事件における客観的な事実は、警備隊の兵士達を含む大勢の者に目撃されており、ローディリッヒには言い逃れのしようがない。

なのでここは、いかに目撃された事実に矛盾しないストーリーをでっち上げて信用してもらうか、というのがローディリッヒに取り得る手段の全てである。

あの『リトルシルバー』の小娘が否定し反論するであろうが、それを言い負かし、取調官に自分の言葉を信じさせることさえできれば……。


（……え？）

そして少し落ち着いたローディリッヒが疑問に思い、部屋中を見回すが……。

（……いない？　あの小娘達がいない……）

そう、この部屋にいるのは、自分達7人の他には、取調官、自分を捕らえた警備隊の兵士のうちの4人、事件の当事者というか被害者というか、あの、レイアという名の少女、……そして、立ち会っている領主のみであった。

……自分にとって不利な証言をするはずの、あの小娘達がいない。

不思議そうな顔のローディリッヒに、取調官が教えてくれた。

「ああ、『リトルシルバー』の者達は大事な用があるとかで、街を離れている。取り調べに立ち会うのは、今いる者達だけだ」

「え……」

いない。

あの小娘達が、取り調べに立ち会わない。

『リトルシルバー』での遣り取りを知っている者が、自分達以外には誰もいない。

ここにいる者達のうち、自分達以外で事件に直接関わり、僅かでも状況を知っているのが、馬鹿であるらしいレイアという娘ただひとり。

そしてその娘は、お菓子に釣られて自分からついて来て、一晩中お菓子を食べていただけ。

おまけに、その間話し相手をしてやった連中に懐いて、奴らを擁護する発言をしている。

（……やった！　これで、俺の言い分を否定する者はいない！　俺の言うことが真実となる!!）

それからは、トントン拍子に事が運んだ。

取調官の質問に対するローディリッヒの熱弁を妨げる者はいない。

雇われた男達も、ローディリッヒの罪が軽くなれば必然的に自分達の罪も軽くなるため、余計な口は挟まなかった。

……当たり前である。

（……勝った！）

ローディリッヒが、そう確信した時……。

「嘘ですね」

レイアが、ぽつりとそう呟(つぶや)いた。

そして……。

「嘘だな」

領主が、同じくそう呟いた。

「え……」

ふたりからの突然の言葉に、ローディリッヒの熱弁が止まった。

「な、何で……、どうして……」

レイアからの言葉は、まあ、分からないでもない。

当事者であり、自分のことに関して事実とは異なることを言われれば、そう言うかもしれないとは想定していた。

そしてそれは、適当に言いくるめるつもりであった。何せ相手は馬鹿である7～8歳の世間知らずの子供なのである。それくらいはどうとでもなる、と……。

しかし、領主からそう断言されることは想定していなかった。

領主はただ部下からの報告を聞いただけであり、そしてこの場にはオブザーバーとして立ち会っている。

……つまりそれは、取調官(しかいしゃ)から発言を求められるか、明らかに話がおかしくなった時に『鶴の一声』、『神の声』として介入するくらいのはずであった。

そう、言い争いも何の問題もなく、ただ淡々と取り調べが進み、容疑者が弁明している時にそれを遮るような介入の仕方をするようなことはないはずであった。

それも、部下からの報告でしか知らない件に対して……。

「い、いいえ、全て本当のことでございます！」

そう領主に主張するローディリッヒであるが……。

「しかし、お前は『リトルシルバー』に出向いて、明らかにその少女が行方不明になっていることを知っているという前提での話をしたそうではないか。それも、あり得ないような条件を強要する、ほぼ、いや、完全な脅し、脅迫行為によってな……。

私は、そのように聞いておるぞ？」

……来た。

当然ながら、ローディリッヒはその報告が領主の許に届いていると考えていた。

普通であれば、相手側との言った、言わないの水掛け論となり、状況証拠からローディリッヒ達が圧倒的に不利となるはずの、その指摘。

しかし、神の御加護により、あの場にいた者達で今ここにいるのは、自分達４人だけである。

向こう側の者は、ひとりもいない。

ならば、何とでもできる！

「いえいえ、それは小娘達が商売敵である私共を陥れるために言った虚言です。私共は真っ当な商人ですので、そのような愚かな真似をするはずが……。

それを訴えたであろう小娘達がここにいないのが、その証拠です。

おそらく、嘘がバレて罪に問われるのを恐れて、逃げ出したに違いありません！

なので、その嘘を事実だと証明する者など……」

「証人なら、いるが？」

「え？」

ローディリッヒの言葉を遮ってそう言ったのは、領主自身であった。

「証人ならここにいる、と言っておる」

しかし、ローディリッヒがいくら室内を見回しても、それらしき者は存在しない。

自分と手下である３人の商人、雇った実行犯３人、小娘、取調官、自分達を捕らえた警備隊兵士のうちの４人、……そして領主。

「…………」

意味が分からず、黙り込むローディリッヒ。

そして……。

「分からないのか？　俺だよ、俺！」

「え……」

しげしげと領主の顔を見るローディリッヒ。

そして……。

「あ！」

すうっと顔から血の気が引いて、蒼白（そうはく）になったローディリッヒ。

「あ、あ、あああ……」

そしてローディリッヒに続き、手下の商人達も蒼（あお）くなった。

「お、お前……、い、いえ、あ、あなた様は……」

そう。ローディリッヒ達は、思い出していた。

カオルの後ろに立っていたため、ずっとその顔をローディリッヒ達に見せていた、あの護衛の男の姿を……。


カオルが、ああいう場に何も知らない男を雇って臨席させるわけがない。

なので、説明の手間の省略、証拠の準備の省略、そしてついでに護衛代の節約のために、領主に護衛っぽい恰好（かっこう）をさせて立ち会わせたのであった。

ローディリッヒ達が男４人で押しかけて来るのは分かっていたため、連中が小娘相手と侮（あなど）り、あからさまな恫喝（どうかつ）や実力行使に出るのを防ぐために護衛を用意して威圧することが必要であった。

なので、一石二鳥で、領主を利用したカオルであった。

「取り調べの場における偽証、領主に対する虚偽の陳述。訴えのあった犯罪行為が全て事実であることが確定したな。

有罪！　刑罰は、取調官が決め、申し渡せ」

がっくりと項垂(うなだ)れるローディリッヒ達を後に、退席する領主。

後は取調官に任せる、とは言ったものの、既に刑罰は事前に指示してあった。

事件の詳細と処罰の依頼を付けて王都の警備隊へ送りつける、というものである。

いくらローディリッヒ達が王都に籍を置いたままであるとはいえ、領内において犯した罪である。なのでここで処罰することができるが、ローディリッヒ達が本当にレイアに危害を加えるつもりはなく、無傷で帰してやる予定であったことは事実であった。

そしてレイアに対する扱いも丁寧であったため、脅迫による不利な契約の強要という悪質な行為ではあったものの、重罪だとか凶悪犯罪だとかいうほどのものではない。

なので、刑罰はそう極端に重くなるわけではなく、死罪とか終身奴隷とかになることはない。

ならば、下手に『リトルシルバー』に怨みを抱いた者を数年後にこの地で野に放つよりは、王都に送還して向こうで処罰してもらった方が、王都にある本店へのダメージがより大きくなる上に、刑を終えた後にわざわざここへ戻って復讐(ふくしゅう)を、とかも考えないであろうという、領主なりの考えであった。

雇われた実行犯については、被害者である少女本人からと、『リトルシルバー』側からの減刑の嘆願が出ていることから、『犯罪行為だとは知らずに』という言い分は信じてはいないものの、大した問題ではないため、被害者側が望むならばと、百叩(ひゃくたた)きと所領所払(ところばら)いで済ませてやることにしている。

百叩きは、処罰実施後しばらくは痛みで仰向けでは寝られない程ではあるが、犯罪紋の入れ墨を入れられたり、犯罪奴隷にされたり、『腕落とし』……片腕を斬り落とされる……とかに較べれば、執行猶予にも等しい温情措置である。

また、元々隣領の者であるから、所領所払い……この領地からの追放……など、何の影響もない。

いくら大した悪意はなかったとはいえ、仮にも少女誘拐犯である。このような措置は、普通であれば、まずあり得ない。

おそらく3人の実行犯達は、処罰を言い渡された後、感謝に泣き崩れることであろう……。

＊　　＊

移動は、恭ちゃんの搭載艇で迎えに来てもらった。夜間に、近くの森まで。

そして現在、恭ちゃんの店がある街へと飛行中。

いや、私のポーションとかレイコの魔法とかで、体力増強&回復しながら突っ走る、って方法もあるよ？

1500メートルを6分で走るという、15～16歳の少女としてはごく普通の速度……但し、陸上部に在籍している者の、一時的な速さ……で走り続ければ、24時間で360キロ。

もし誰かに目撃されても、それはその人の目に触れる数分間だけのことだから、疑念を招くこともあるまい。

……どうして街から遠く離れた街道を、運動着姿の少女ふたりが走っているのか、という問題は別として……。


いや、やらないよ！

何が悲しゅーて、女ふたりで汗だくになって一晩中走らなアカンねん!!

汗だく大盛り……、って、うるさいわっ！

翌日の筋肉痛が怖いわっ!!

はぁはぁはぁ……。

「香、どうしてそんなに息を荒らげてるの？」

「……何でもない……」

恭ちゃんに、不思議そうな眼で見られた……。

「ところで恭子、まだ何もしていないでしょうね、その雇った店長とか、ソイツを送り込んだ商家、ふざけた真似をしてくれたギルドマスターとかに……」

「あ、うん。店長は商工ギルドの地下室にいるらしいから手出しできないし、礼子が『何もするな、すぐ行くから待て』って言ってきたから……。

まあ、来てくれるのを待つんじゃなくて、私が迎えに行くことになったけど……」

レイコの確認の言葉に、そう答えた恭ちゃん。

うん、とりあえず、ひと安心だ。

「で、話に出た、ギルドマスターのふざけた返事だけど……、それって、ただの自棄糞でのギャグなんじゃないの？　まさか、商工ギルドのギルドマスターともあろう者が、本気でそんな言い分が通るとは思わないでしょう……。

もう、ギャグにでもしないとやっていられない、って雰囲気じゃなかった？」

「う～ん……。

まあ、ギルドマスターも副ギルドマスターも、いい人ではあったんだよねぇ。

いきなり現れた、何の後ろ盾もない私に親切にしてくれたし……」

うんうん、最初に『リトルシルバー』に戻ってきた時、そう言って、嬉しそうに話していたよね。

ここはひとつ、そのギルドマスターに助け船を出してあげるか……。

「じゃあ、今回は雇った店長に裏切られて頭に来てる時に無神経なギャグを言って恭ちゃんを怒らせたけど、情状酌量の余地があるということで、勘弁してあげない？」

「う～ん……、まぁ、香がそう言うなら……。

で、店長と、その黒幕は？」

「「そっちは、潰そう！」」

「あ、やっぱり？」

＊　　＊

「……で、その黒幕っていうのが……」

「うん、この街の普通のお店……の振りをした、王都に本店がある大店(おおだな)の隠れ支店だって。

この街は、王都に本店を持つ大店の内の、ホークス商会が担当してるの。大店同士の『暗黙の了解事項』としてね。

本当は複数の大店の支店がある方が、競争原理が働いて、この街の人達にとってはいいんだけど……、大店にとっちゃあ、全ての店が全ての街に支店を出して互いに食い合うよりも、協定を結んで、それぞれが独占する街を分け合った方が効率がいいからね」

「「ああ……」」

うん、大店のその気持ちは、よく分かる。

「でも、『隠れ支店』ということは……」

レイコの質問に、こくりと頷(うなず)く恭ちゃん。

「うん、普通の単独商店の振りをした、他の大店の支店。……勿論、証拠はないけどね。

でも、この街で地元(じもと)で売買する商品は必要最低限で扱うだけで、この街の特産物をたくさん買って王都へ送っているらしくてね、……まっくろくろすけ。

……まあ、大店同士の暗黙の了解というか、正式なものではないふんわりとした協定に過ぎず、別に犯罪とかじゃないし、ただの商売だと言われればそれまでだから、ホークス商会もスルーしてるらしいんだけど……」

「そこが、トレーダー商店に眼を付けた、と……」

「うん。『この街で安く手に入る、王都で高値で売れそうなもの』って条件に、うちの商品がヒットしちゃったらしいんだよね、これが……。

勿論、この街の小さな商店だけでなく、ホークス商会の支店にも売っているから、王都にもホークス商会を通して以前からうちの商品が少量流れているよ。だから、王都の一部では、既に少し注目されてたみたいなんだよね、うちの商品。

だから、もっとうちの商品を手に入れたい。でも、ホークス商会の手前、あまりあからさまに買い占めるわけにもいかない。なので、うちの仕入れルートを押さえるか、商品の製造技術を手に入れるかを狙ったんだろうね」

「「なるほど……」」

あ！

「じゃあ、ローディリッヒ達がトレーダー商店のことを知っていたのも……」

「うん、うちの店の名は、既に王都の一部では知られつつあるからね」

「なるほど……」

だから、『リトルシルバー（うち）』の代わりとして、すぐにトレーダー商店（恭ちゃんのところ）に飛び付いたわけか……。

そうこう言っているうちに、恭ちゃんが活動拠点にしている街に到着。

さすがに、搭載艇だと、あっという間だ。

勿論、いくら夜間であり光学迷彩や消音装置が働いているからといっても、街中に降りたりはしない。ちゃんと郊外の人気のないところに降りて、そこからは歩き。

搭載艇は、自動操縦で衛星軌道に戻す。

何かあった時に1秒でも早く呼べるよう、母艦には収容せずに待機させておくらしい。

恭ちゃんもまた、私やレイコと同じく、そういう点においては慎重というか、心配性だからなぁ。

「あ、ちょっと待って！」

今、私とレイコは素顔だ。

『リトルシルバー』の私とレイコも、ハンターのキャンと聖女エディスも、ここの商人サラエットとの関係を知られるのはまだ早い。だから……。

「はい、髪と眼の色を変えるポーションを！」

レイコに、今創ったポーションの小瓶を渡す。栄養ドリンクタイプのやつだ。

勿論、私の分もあり、一気に飲む。

普段の色とも、聖女エディスの色とも違うものに変えるためのやつを……。

そして、左手首に着けたブレスレット……顔の造りを光学的に変更し、ボイスチェンジャー機能も搭載したやつ……のつまみを少し回す。

うん、エディスとは別の顔、別の声に変えたのだ。

勿論、私が創ったこの変身ブレスレットが、エディスの声と姿にしか変えられないわけがない。

アレだ、アレ！

『女神の友人であるこの私が、たったひとつの変身を身に着けるために特訓を必要としたとでも思っていたのか？』ってヤツ！

……いや、やってないけどね、特訓……。

夜間だから人目に付くことはないとは思うけれど、万一に備えたこういう慎重さが、命を守るんだよねぇ……。

とにかく、恭ちゃんはいつもの『商人サラエット』、私とレイコは地味なモブ顔で、夜の街をトレーダー商店へ。

話は、そこでゆっくりと……。

＊　＊

結局、誰に見つかることもなくトレーダー商店に到着。

その2階、恭ちゃんの部屋で、作戦会議。

変装は、全員解除済み。でないと、何か話しづらいからね。

2階には、私とレイコが泊まるための部屋も用意してあるらしい。だからいつでも、予告なしで来てもいいからね、とか……。

まあ、退屈で寂しいのだろうなぁ。

この件が片付けば、またみんなで一緒に暮らせるように手配しよう。

……ということで、早速、作戦会議だ。

飲み物とお菓子は、アイテムボックスから出してテーブルの上に並べてある。

「で、信用できるの？　その、自白ってやつ……。

自分で企んだのに元雇い主に罪を擦(なす)り付けようとしているとか、本当の依頼者が別にいるとかいう可能性は……」

そして、早速本題に入るレイコ。

「あ、それは大丈夫だよ」

しかしレイコの懸念を、そう言って一蹴する恭ちゃん。

「ギルドマスターからの又聞きだけど、拷も……取り調べを依頼した老人が言うには、『若い拷問吏(やつら)は、鞭(むち)や割竹(わりだけ)で力任せに叩けばいいと思っておるが、歳を取って体力がなくなってくれば、そんなやり方じゃあこっちの身体が保(も)たん。拷問というものは、身体を痛めつけるのではなく、心を痛めつけることが大事なんじゃ。折るのは、骨ではなく、心じゃよ』ってことらしいよ。

なので、相手の心が折れたかどうか、言っていることが嘘かどうかなんて、ベテランの拷問吏には簡単に分かるんだって」

最初に『拷問』と言いかけて『取り調べ』と言い直したくせに、その後は普通に『拷問』を連呼する恭ちゃん。

……まぁ、恭ちゃんだからなぁ……。

「じゃあ、相手はその商店とその親玉、ということで決定していいのかな？」

「うん。あ、勿論、裏は取ってあるよ」

レイコの確認の言葉に、そう説明する恭ちゃん。

多分、盗聴器か何かで確実な証拠を押さえたのだろう。

勿論、警備隊や領主に提出することはできないヤツだろうけど……。

やっぱり、完全にクロだということが確定していないと、手を出すわけにはいかないよねぇ。

「で、どんな『因果応報』がいいと思う？」

「「う〜ん……」」

みんなで、頭を絞る。

……勿論、『因果応報』というのは神や仏、因縁により起こることだけど、この場合は、それらに私達が少しばかり力添えする、という意味である。

「明確な罪科としては、女性の部屋への侵入と家捜し、窃盗。

従業員への脅しは、多分罪にはならないと思う。雇われ店長と孤児の店員だから、この世界じゃパワハラとすら認められないよ。ごく普通のことだとして……。

……これじゃあ、大した処罰にはならないよね。百叩きが精々かな……。そして、親玉にはノーダメージ。

それは、我ら『ＫＫＲ』の仕事としては不十分。とても納得できるようなものじゃない。

しかも、これは頼まれた仕事ではなく、私達が直接売られた喧嘩よね。ならば……」

「「売られた喧嘩は買う。オークションで値を吊り上げて！」」

恭ちゃんの言葉に、レイコが続いた。……そして、私も。

「「「それが我ら、『ＫＫＲ』!!」」」


「「「ああああああああ!!」」」


……痛い。

あまりの暗黒歴史っぷりに、頭を抱えて蹲る、私達３人。

そういうのが許されるのは、中学生か、せいぜい高校1年までである。

それを、大学生の時にやっていたのだ……。

いや、人助けをしていたのだから、別に悪くはない。むしろ善行……一部、過剰防衛もあったが
……であり、女子学生達には有り難がられていた。

しかし、今、客観的に当時の自分達の言動を振り返ってみると……。


「「「ああああああ!!」」」


「……で、『因果応報』の方法なんだけど……」

「「急に真顔になるな!!」」

レイコのヤロウ……。

＊　＊

「ギルドマスター、います？」

「は、はい、しばらくお待ちを！」

商工ギルドに顔を出した恭子が尋ねると、職員のひとりが慌てて2階へと向かった。

そして、すぐに戻ってくると……。

「どうぞ、こちらへ」

在室している限り、ギルドマスターに『訪ねてきた恭子と会わない』という選択肢はなかった。


「よ、よく来てくださいました……」

少し挙動不審なギルドマスター。

しかし、恭子にはそんなことはどうでもよかった。

「元店長はどうなりましたか？」

「は……はい、ギルドの紹介で若い女性ばかりの店に店長要員として斡旋されたというのに、そのギルドからの信頼と雇い主からの信用を裏切り犯罪行為を行ったということは、刑事事件としてはそう重罪というわけではないですが、商人としてのモラルに反し、そしてギルドに対しての許され

ざる大罪です。

……よって、商工ギルドからの除名処分が決まりました」

「……え？」

甘い。

あまりにも甘い処分である上、刑事罰の方はどうなったのか。警備隊に突き出す、とかは……。

そう思って恭子が突っ込んだところ……。

「いえ、これは、暴力や大金の横領とかを伴わない犯罪としては、結構厳しい罰なんです……。

この街は規模がそれほど大きくないので、商業ギルドと職人ギルドをひとつに纏めて商工ギルドになっていますから、うちで除名処分になると、国内の商業ギルドと職人ギルドの両方から除名になるのです。他の、それぞれのギルドが独立してるところなら、商業ギルドからの除名だけで済んだのですが……。

そして、商業ギルドや職人ギルドを除名された者は、もうその業界では働けません。

いえ、別に、本人がどこで働こうが、ギルドは別に邪魔したりはしませんし、働くこと自体は問題ないのですが、……職場や取引等に除名処分者がたとえ僅かでも関わっていた場合、ギルドはそれらの店や職場には一切の援助、サポート、協力等を行いません。勿論、融資や取引とかも……。

つまり、事故や事件、犯罪等に巻き込まれても、その者を雇っていた商店には何の援助もしない、ということです。たとえその件に除名処分者が無関係であっても、です。ただ馬車の御者をやっていただけ、とか、取引があった店の軒先で掃き掃除をしていたというだけでも……。

……まあ、商人のクズを雇っているのだから、そういう店なんだろう、ということですね。

裏切られても自業自得、もしかしてそいつが手引きしたんじゃないの、ってことで。

これで、除名処分者を雇おうって奴がいると思いますか？」

「…………」

「商売の世界も、結構狭いですからね。この国じゃあ、名前を変えても、すぐにバレます。ですから、商売や職人とは全く関係のないところ、……力仕事とかで働くか、遠国へ行くしかないでしょうね……」

「働き口なら、飲食店とか、農業とか、他にも色々あるのでは……」

「飲食店も、商工ギルドに加盟していますよ。農業も、土地がないとできませんし、雇われるにも、身体を鍛えてもいない素人の中年男性なんか雇う農家はありませんよ。

今まで商売の世界しか知らずに生きてきた、腹の出た中年男性。余程心を入れ替えて真面目に頑張らない限り、他業種で生きて行くのはかなり辛いでしょうね……」

どうやら、商人としてのキャリアしかない者にとっては、かなり厳しい罰のようであった。

「…………警備隊に突き出す、というのはないのですか？」

恭子の指摘に、ギルドマスターは首を横に振った。

「罪状としては、不在であることが分かっている女性の部屋に侵入して物色したことと、商品をいくつか横領したことだけです。大した刑罰にはなりません。

それに対して、我々は拷も……少々厳しい取り調べを行いました。

「……それで、まぁ、その……」

恭子は、何となく察した。

おそらく、警備隊に突き出した場合に与えられるであろう刑罰を遥かに超えたことが行われたであろうことを……。

ギルドにも、面子というものがあるのだろう。

身内の不始末は、身内で処罰する。警備隊も、それは理解してくれるはずである。

そして、おそらく黙認されるであろうとは思われるものの、敢えてそれを警備隊に教える必要はないとギルド側が考えているのだろう。

「黒幕の商店は、どうするの？」

「……犯人の自供だけでは……。いざとなると、王都の方から横槍が入る可能性がありますし……。

ここは、実行犯への処罰で、トレーダー商店に手出しする者はギルドが容赦しないぞ、というアピールをすることで納得していただきたく……」

どうやら、王都の大店には喧嘩を売りたくないようである。

いくら商工ギルドとはいえ、地方の小さな街の、職人ギルドと合併してようやく存続しているような弱小組織に過ぎないのであるから、それも無理はないであろう。

なので、恭子はこくりと頷いた。

そして、ギルドマスターは心からの安堵の表情を浮かべるのであった。

その後、恭子は元店長の本当の雇い主についての情報を、ギルドマスターからありったけ聞き出した。

以後の自己防衛のためと言われれば、負い目のあるギルドマスターに否(いな)はない。

そして恭子の言葉には、嘘はなかった。

ギルドが黒幕には何も対処しないということに納得したことも。

ギルドマスターから聞き出した情報を、自己防衛のために使うということも。

ただ、それならば自分で対処するということと、恭子の座右の銘が『攻撃は最大の防御なり』であるということを言わなかっただけである。

……そして、笑顔でギルド支部を後にする、恭子であった……。

＊　＊

「……というわけで、元店長は、もういいや。あとは……」

「隠れ支店(中ボス)と親玉(ラスボス)、……本店だね」

レイコの返しに、うんうん、と頷く恭子ちゃん。

うん、勿論、下っ端(トカゲのしっぽ)だけで満足するような私達じゃない。

それに、若い少女に見える私達が認められ、一目置かれるためには、ふざけた真似をしてくれた奴らは叩き潰す必要がある。

でないと、強い発言権とか影響力とかを得ることはできない。

だから……。

「とりあえず、隠れ支店を叩こうか……」

＊　　＊

「フリードの奴、しくじりおって……。役に立たぬ奴め……」

セイトス商店では、店主……実際には、支店長……であるオラルドが愚痴を溢していた。

今回の計画は、王都の本店からの指示である。最近王都にごく少量出回り始めた商品の出所が、この街の個人商店であるらしく、その仕入れルートを押さえろ、という……。

そして調査したところ、この街から王都へのルートは、ホークス商会の支店であった。

そのホークス商会の支店に商品を納入しているのが、最近できたばかりの、小さな個人商店である。

……そしてその個人商店というのが、以前ギルドから通知があった、あの商工ギルド特例措置が適用された少女が経営する店であった。

「商工ギルド特例措置、第2項第3条の2。

……貴族や有力者、またはその係累が身分を隠してお忍びで来た場合の、それには気付いていない振りをして友好的に振る舞うように、との特別指示か……。下手に手出しするな、悪印象を与えるようなことは厳禁、という……。

だが、そのようなもの、バレなければ問題ない。

そしてもしバレても、それはフリードの奴が勝手にやったことであり、うちには関係のないこと、と言い張れば済むことだ。

……何せ、奴はとっくにうちを辞めており、だからこそあの店に雇われたわけだからな。

奴をあの店に推薦したのは、ギルドだ。だから、何があっても、責任はフリードの奴とギルドにある。別に俺が推薦したわけではないし、うちの店を辞めた者のことなど知らん。何の関係も、責任もない……」

オラルドが楽観視しているのは、フリードが本当のことを白状するとは思っていないからである。

万一のことがあっても、この店との関係は絶対に喋（しゃべ）らない。そうすれば、悪いようにはしない、と約束しているからである。

そもそも、経営者である小娘が親元に顔を出すためか数日間不在になる時があり、その間に部屋を漁って仕入れの契約書や輸送計画書を捜すことが露見するなど、まずあり得なかった。

ふたりの店員は孤児院の子供達であり、しかも孤児院からの通いである。ならば、ふたりが帰ったあとは、店にいるのはフリードただひとりなのであるから。

店にいて当然であり、誰に咎（とが）められることもない立場。

これで、家捜しがバレるはずがなかった。

商品のちょろまかしも、サンプルとして数個確保するだけである。

ちゃんとお金を払って買うという方法もあるが、そんなことは馬鹿馬鹿しい。数個くらいでバレることはないだろうし、もし数が合わなくとも、万引きされたか、店員達が盗んだことにすれば済む。

所詮は孤児院のガキ共、フリードの方が遥かに信用度が高い。どちらが信用されるかなど、考えるまでもない。

そういう考えの下に、計画が進められたのであるが……。

それが、まさかの露見。

しかも、フリードの犯行であると断定された。確実な証拠がある、ということで……。

商工ギルドのギルマス、副ギルマス、その他数人がセイトス商店にも事情聴取に来たが、辞めた者のことは関係ない、と言って突っぱねると、簡単に引き下がり、帰っていった。

それを、オラルドはフリードが自分との関係を白状していないからだと思っていた。ギルド側が簡単に引き下がったことと、警備隊の兵士達が同行していなかったためである。

もしフリードが全てを吐いていれば、警備隊も同行して、取り調べのため自分を捕らえようとしたはず。それがなかったということは、即ち(すなわ)、自分には何の嫌疑もかかっておらず、ただ事情確認のために来ただけ、ということである。前の雇い主なのだから、それくらい何の不思議もない。

……そう信じて……。

オラルドは、フリードが全てを自供することは絶対にないと信じていた。

もし全てを喋れば、釈放された後、誰も助けてはくれない。

しかし、黙り通せば、釈放後に充分な報酬と、従業員としての立場……フリードは、退職はただの見せかけであり、自分はまだセイトス商店の従業員としての立場が保持されていると思っている……が保証され、危険な汚れ仕事を引き受けた褒美に出世の道が約束されていると信じているであろうから。

そして、たとえバレたところで、ただ家捜ししただけで何も盗んでおらず、人に危害を加えたわけでもないのであれば、大した罪に問われることはない。せいぜい、数日間の拘留か罰金程度で済むはずである。

……若い女性の部屋を漁った、という、いささか不名誉な噂が立つかもしれないが、それは商人としての能力とは関係がないし、商会主達がやっていることに較べれば些細で可愛いものである。業界内においては、別に問題視されるようなことではなかった。せいぜい、微笑ましいエピソードとなるくらいである。

なので、オラルドは当初、自分に忠実なフリードを優遇してやるつもりではあった。

まさか、フリードの家捜しと商品のちょろまかしがバレ、しかも経営者がフリードの証言よりも孤児達の方を信じるなどとは、そしてギルドまでがそれを支持するとは思ってもいなかったので。

しかし、こうなっては、もはやフリードを再雇用し、出世組として受け入れるわけにはいかない。

そのようなことをすれば、自分達が仲間であることを認めたも同然である。

……だが、何の問題もない。

この街ではマズいから王都の本店勤務で出世させてやる、と言って送り出してやり、……旅の途中で不幸にも盗賊に襲われる、ということは、よくあることである。

＊　＊

「何だと！」

手代のひとりからの報告に、机をドンと叩いて激昂する、オラルド。

「フリードの罪科についての詳細情報が街中に広まり、しかもそれがうちからの指示によるものだということ、うちからの退職は偽装で、全て仕組まれたものであること、……そして失敗したフリードを私が裏切って見捨て、全ての罪をフリードに押し付けて知らぬ振りをしているという噂が広まっているだと……。

おまけに、うちが普通の商店ではなく、クルト商会の隠れ支店だという噂まで……」

……噂というか、全て事実である。

そして、最後の隠れ支店の件は、商工ギルドの者はほぼ全員が、そして一般の人々も、かなりの者が元々知っていた。

皆、見え見えではあったものの、確たる証拠はなく、また別に自分達に被害が及ぶようなことではないため、スルーしていただけである。

　直接の迷惑を被るのはこの街に正式に支店を出しているホークス商会だけであり、そのホークス商会も事を荒立てるつもりはないのか、不快には思いながらも黙認していたため、公然の秘密のようになっていたものが、なぜ今になって急に人の口に上ることになったのか……。

　だが、報告した者を怒鳴りつけても、仕方ない。

「くそっ、こんなに正確なことを知っているのは、フリードしかいない！　裏切りやがったな！」

　自分も裏切るつもりだったくせに、そんな勝手なことを言うオラルド。

　しかし、フリードは事件発覚から、まだ姿を見せていない。

　これがオラルドと会って話が拗れた後とかであればまだ納得もできるが、会ってもいないのにフリードが噂を広めるはずがない。ということは……。

「……ギルドに全てを吐いたか……」

　警備隊に突き出されて吐いたなら、今頃はここにも警備隊が来て自分も取り調べを受けているはず。そう考えたオラルドは、フリードが吐いたのはギルドのみであり、そしてギルドはフリードを警備隊には渡していないと考えた。

「……ということは、フリードはまだギルドに捕らえられたままか。そしてギルドは、事をこれ以上荒立てるつもりはない、と……。不確かな噂を流してうちの名を貶め、それをもってうちへの制裁とする、か。

　まさか、ギルドが警備隊に引き渡すことなく、独自に取り調べを行うとはな……。

フリードは、無理矢理吐かされただけで、別にうちを裏切るつもりがあったわけではないか……。

そしてこれは、クルト商会（本店）と事を構えるつもりはないが、これ以上は許さん、というギルドからのメッセージ、というところか。

仕方ない、ギルドに抗議はせず、このまま痛み分けとするか。

何、噂など、下手に騒がず無視していれば、すぐに収まる。それに、うちがクルト商会と関係があることなど、今更何を言われようが、関係ない」

ギルドは、これ以上何もするつもりはない。

そう考え、先程は激昂したものの、今は既に落ち着き、フリードがギルドから釈放され次第、すぐに王都へと向かわせることを決定したオラルド。

「襲撃役に話を付けておかねばならんな……」

余計な噂を流した敵対者は、商工ギルド。

そして連中は、もうこれ以上のことはしない。

そう考えた自分の判断力を疑うことのない、オラルド。

……確かに、オラルドの考えは正しかった。

商工ギルドの動きに関しては。

しかし、セイトス商店に敵対しているのは、商工ギルドだけではなかった。

そしてオラルドは、商工ギルドなどよりもっとタチの悪いものを敵に回してしまったことに、まだ気付いてはいなかった……。

＊　　＊

「……では、よろしくお願いします！」

「いやいや、こちらこそ、よろしくお願いしますよ！」

恭子（サラエット）がにこやかに握手しているのは、王都に本店を持ち、この街に支店を出している大店、ホークス商会の支店長である。

……なぜ、恭子がそんなところにいるのか。

それは、アレである。

……『敵の敵は、味方』というヤツ……。

＊　　＊

「よし、これでこちらの手にはホークス商会とターヴォラス商会、プラス、トレーダー商店と『リトルシルバー』。

敵は、クルト商会のみ。そして何かに利用しても良心が痛むことのない、レリナス商会！」

ホークス商会の支店から戻った恭ちゃんが、右手の拳を振り上げて、そんなことを言い出した。

「……うん、まあ、ローディリッヒ達の件は終わったし、レリナス商会もかなりの痛手だったろうから、もうあそこに関わるつもりはなかったんだけどねぇ……。

でも、もし第三者的な商会や踏み台、噛ませ犬が必要になった時は、あそこにお願いしようか。

……勿論、連中には悟られることなく、勝手に利用させてもらうだけなんだけどね。

多少の迷惑を掛けても構わない、私達とは何の関係もない商家の存在は、便利よねぇ」

レイコまで、そんなことを言っている。

勿論私は、ふたりに釘を刺しておいた。

「レリナス商会を儲けさせちゃ駄目だよ！　それと、あんまり酷い目に遭わせるのも避けるようにね。あそこの商会主や跡取りになるであろう長男、従業員やその御家族の皆さんには、私達は別に大した迷惑を被ったわけじゃないんだから……」

レイコと恭ちゃんは、こくこくと頷いた。

うん、本店の皆さんには、お家の都合だとか営業方針とかでは少し迷惑を受けはしたけれど、それは商家としての活動や、営利追求のための行動に過ぎないから、多少うちに迷惑や損害が出ても、それは別に怒るようなことじゃない。そういうのには、商業的な手段でやり返してやればいいだけのことだ。ローディリッヒ達がやったこととは、話が違う。

でも、私達のせいであそこが儲かった、とかいうことになると、何だか少し気分が悪いからねぇ。

何かうちに対して貢献でもしてくれない限り、わざわざ儲けさせてやることもない。

便宜を図るなら、うちの街に本店を持つ、身内同然であるターヴォラス商会か、恭ちゃんの取引相手である、この街に正式な支店を持つホークス商会だ。

トレーダー商店と『リトルシルバー』は、直接王都へ進出するつもりはない。

……今のところは。

カネになりそうな商品を扱う、小娘達だけで経営している小さな個人商店。

……悪党ホイホイもいいところだ。

そんなのが王都で目立てば、商人や悪党達だけでなく、小物貴族や小遣い銭目当ての無爵貴族……跡取りでもその予備でもない、下級貴族の三男以下とか……が集って来そうだからね。

ここやうちの街のような地方都市のいいところは、領主にさえ話を通しておけば、貴族関連の揉め事や警備隊による横暴などの心配はない、ってことだ。

これが王都だと、王都邸に滞在する貴族やその家族、連れてきている家臣や領兵、その他諸々が小遣い稼ぎに色々と悪さをするし、他の貴族家が絡むと、うちの領主もあまり強く出られなかったりするだろうからねえ。

私達が身を守るには、王都は障害物が多過ぎる、ってことだ。

だから、王都での販売は、ターヴォラス商会の王都支店とホークス商会の本店にお任せだ。

それに、恭ちゃんはふわふわしていてチョロそうに見える上に、可愛いから、男達との会話の機会が多いと、勘違い野郎が大量に発生するのだ。

それは、雰囲気とかオーラとか、誘引物質でも出ているのか、変装くらいじゃ変わらないんだよなぁ……。

子供やもふもふの誘引物質とかがあるなら、集めて瓶に詰めてくれたら、買うよ？

……あ！

ポーション作製能力で……、って、駄目だ駄目だ。それやっちゃったら、人間として終わりだ！

薬使って子供やもふもふに囲まれても、何の意味もない‼

……はぁはぁ……。

ま、まぁとにかく、カリスマ商人は、本人が王都に直接顔を出す必要はない。商品やカネの差配だけして、相手との直接の顔合わせは代理人や仲介業者で充分だ。ターヴォラス商会とか、ホークス商会とかの……。

ハンターや聖女は、仕入れルートやら商品の製造法やら貯め込んだお金やらを狙われる心配がないから少し気楽だけど、商人は大変だよねぇ……。

でも、そのうちいつかは、モブに変装した姿ではなく、キャン、エディス、サラエットとしての私達が王都へ行く時も来るだろう。

その3人の影響力を増すためには、やはり個人としての実績だけではなく、最終的には貴族や大商人と知り合いになる必要があるからね。

大規模な取引や活動をするつもりはないけれど、ピンポイントで有力者に恩を売るか、一目置かせる。

うん、私達なら、割と簡単にできそうだ。

でも、あくまでもそれは、キャン、エディス、サラエットとして、もしくは他のモブとしての、仮の姿で。

……『リトルシルバー』のレイコ、カオル、恭ちゃんとしての私達は、王都に行く予定はないよ。

『リトルシルバー』が堅実に稼いでいれば、そのうちおかしなのに目を付けられるかもしれない。

堅実に稼いでいるところが全て目を付けられるというわけじゃないけれど、何せ、うちは代表者から末端従業員まで、全員が子供に見えるから、不可抗力だ。

そして大人を雇ってみれば、舐(な)められて、今回みたいなことになる。

ま、早めに『セルフ後ろ盾』の準備を進めるか……。

但し、『セルフ後ろ盾要員』であるハンター(キャン)、聖女(エディス)、商人(サラエット)がおかしな連中の目を引いて、などという本末転倒にならないように、そこには特に気を付けて……。

あ、そうそう、実行犯のフリードは、本人の希望により、ギルドの地下室に確保したままだ。

いや、ギルドの人達が状況をちゃんと正直に教えてやったらしく、『今、外に出ると、民衆に石を投げられたり、オラルドの手の者に殺されたりする』ということを理解したとかで、地下室から出たくない、匿(かくま)ってくれ、って縋(すが)り付かれたとか……。

ま、この街の支店が潰れてオラルドがいなくなれば、街から逃げ出すことくらいはできるだろう。

警備隊は、既にオラルドとフリードの犯罪行為には気付いているけれど、やはり予想通り、手出しはせずにギルドに任せてくれている模様。

警備隊はこの領地の最高責任者、つまり領主の配下だから、王都の本店の指示に従う余所者達であるセイトス商店（隠れ支店）ではなく、地元の商人や職人達で構成されている商工ギルドの方を信用し、優先してくれる。……当たり前だ。

警備隊は、もしギルドが頼めば動いてくれるだろうけど、ギルドにはその気はないとか……。

街中でセイトス商店の悪評が広まっているのには、ワケがある。

いや、勿論第一の理由は、私達が人を雇って噂を広めているせいだけど、その他にも色々と原因があるのだ。

まず、セイトス商店が、王都に本店がある大店、クルト商会の支店であること。

半ば公然の秘密ではあるが、それは王都の者達にこの街が馬鹿にされ、食い物にされているという印象を与え、元々住民感情はあまり良くなかった。

セイトス商店は一部の特産品を買い集めて王都へ送ることを中心とした営業形態であり、街の人達に小売りをするのはほんの申し訳程度であるため、それでも大した問題はなかったのであるが……。

そして、商店主の命令に従い、違法な行為を行った忠義の店員を使い捨て、責任を全て押し付けるどころか、口を塞ごうとしたこと……。

実は、これが問題であった。

悪事は責められるべきことではあるが、人間は皆、聖人君子じゃない。

だから、極悪非道な犯罪ならばともかく、主人の命令に従って行った少女の部屋の家捜しくらいであれば、『主人への忠義心』、『少女に手出しする気は全くなく、留守の時に行った軽犯罪』ということで、情状酌量の余地が充分ある、と考える。

ある意味、主人の命令に逆らえなかった被害者である。

そして、見方によれば、危険や汚名を被ることも厭わず主人の命に従った、忠臣。

同じ勤め人である自分達にも、いつ降りかかってくるか分からない事態。

なので、実行犯であるフリードは、そう人々からの憎悪を集めたわけじゃない。

勿論、名誉を汚された商工ギルド関係者を除いて、だけどね。

つまり、フリードに対しては、一般民衆はそんなに悪感情は抱いていない、ってことだ。

……でも、自分の無茶な命令に従った忠実な配下を裏切った雇い主、てめーは駄目だ！

民衆が忌避し、憎む行為。

雇い主に忠義を尽くしたのに、裏切られ、命を狙われる。

そんな行為を許したら、いつ、自分の雇い主も同じようなことをするか分からない。

経営者達がおかしなことを考えないようにするためには……。

制裁。制裁。制裁。制裁。

破滅。破滅。破滅。破滅。

……そう、人々の憎悪を集め、ぶつけるしかなかった。

そのため、今、セイトス商店はかなりマズい状況となっているのである。

まあ、とにかくそういうわけで、また攻撃されたら困るから、元を絶つ……。そう、黒幕であるクルト商会を叩くために、王都中心部殴り込み商隊、発進、ってわけだ。

……その前に、セイトス商店……、この街にある、クルト商会の『なんちゃって支店』を潰した後でね。

普通、商店が潰れると、悪い店主だけでなく、罪のない従業員やその家族、そして取引先、運送屋や倉庫屋、その他諸々に影響するから、悪い奴がいても、そいつだけを潰して、商店としての組織は存続させるべきだとは思う。

……但し、『なんちゃって支店』、てめーは駄目だ‼

第七十三章　クルト商会

「状況は？」

「今までセイトス商店が買い入れていたこの街の特産品は、領内消費や近隣のお得意さん達の分を除いて、ほぼうちの勢力……ホークス商会、トレーダー商店、そして遠くの街から仕入れに来た商家の娘（レイコとカオルのモブキャラ版）が買い占めたよ。

　何せ、輸送費がゼロなんだから、買い取り価格で太刀打ちできるわけがないよ」

　レイコの問いに恭ちゃんが答えた通り、それはもう、勝負にならない。

　何せ、アイテムボックスと魔法やポーション、小型連絡艇とかを組み合わせた輸送手段は、馬車や護衛等の経費を必要とすることなく、一夜のうちに商品を王都へ届けることができるのだから。

　その浮いた経費の一部を買い取り価格に上乗せすれば、それより安い価格でセイトス商店に売る者なんかいるはずがない。

　……但しそのやり方だと、後で普通の輸送手段に戻した時に売り手側が値下げに応じないかも、という懸念はあるが、そこはまぁ、ホークス商会以外の者は、『まだ商売に不慣れな連中が、価格設定に失敗して大損した』ということにでもすればいいか。元々、売り手側も相場価格を知らないわけじゃないから、馬鹿のおかげで一時の大儲けができた、とでも考えてもらって……。

ホークス商会は、まあ、アレだ。

お得意さんに対する商品の供給を途切れさせるわけにはいかないので、馬鹿達のおかげで大損覚悟の高値で仕入れざるを得なかった、ということにして……。

実際には、私達が格安で輸送を引き受けているので、ホークス商会も損をすることはない。

王都での販売価格は、従来のままを維持する。この街での仕入れ値はともかく、王都での販売において相場価格をメチャクチャにするわけにはいかないからね。

セイトス商店の親玉、クルト商会が売っているのと同じ価格だけど、向こうはそもそも商品を入手できていないので、売りようがない。

そして、仕事が減って割を食う輸送業者や護衛のハンター、傭兵達には、何か別の商品を王都まで運ぶ仕事を発注するかな。ターヴォラス商会の王都支店宛てとかのを……。

輸送費用を引けば儲けは殆どない、普通の商人がわざわざ王都へ運ぼうなどとは考えない品であっても、ギリギリ赤字にはならないなら、問題ない。

なるべく、うちの都合で掻き回されて損をする者が出ないようにしなきゃね。

そして……。

＊　　＊

「セイトス商会は、ほぼ機能停止。

元々、ここの特産物を買い付けて王都の本店、クルト商会に送る以外の業務はほんの申し訳程度にしかやっていなかったから、それができなくなったら、9割近い仕事がなくなるからね。

そしてオマケに、手下のフリードに対する店の裏切り行為が街の人達の憎悪（ヘイト）を集めて、その、残りの1割の仕事も壊滅状態。

売り上げはゼロ、そしてそれでも店の維持費や光熱費、人件費とかの支出は必要。

若干の赤字、どころじゃなく、凄い速さで運転資金と言うか回転資金と言うか、とにかく商店にとっての血液とも言うべきお金がダダ漏れ状態。本店からの大量の資金調達がないと、あまり保たないだろうね。

そして本店からいくらお金を注ぎ込んだところで、状況が改善される見込みはゼロ。

本店にも情報は行っているだろうから、商会主はすぐに損切りを決断するはず。……余程の馬鹿でなければ。そして……」

「「「馬鹿には、大店（おおだな）の商会主は務まらない!!」」」

うん、そういうことだ。

「ムーノさんと、王都支店には既に話は通してある。勿論（もちろん）、ホークス商会本店には支店から連絡済み。手紙は、私達が直接運んで届けたからね。

今夜、ターヴォラス商会とホークス商会の商品を運ぶよ。今回の輸送方法は……」

「私が運ぶよ。一応、この街の特産物だけじゃなく、この店独自の商品もあるからね。

それに、『サラエット』としての私は、王都の商業界で名を売らなきゃなんないから……」

確かに、恭ちゃんが言う通りだ。

じゃあ、今回は恭ちゃんに任せるか……。

「じゃ、お願いするね」

今回は恭ちゃんにお願いするけれど、輸送方法としては、別に搭載艇や小型連絡艇が必要だというわけじゃない。荷は全部アイテムボックスに入れて運ぶから、私かレイコがハングとバッドに乗って単騎で移動するとか、魔法を使うとか、あるいは身体強化ポーションを使って移動してもいい。

……いや、出番が欲しくて堪らず、いつも愚痴を溢(こぼ)しているハングとバッドが、私達だけでの定期的な長距離移動を許してくれるとは思えないけどね。

まぁ、そりゃそうだよねぇ。私があの2頭の立場だったら、そんなの絶対に許さないよ。

レイコにも、ハングとバッドで移動するように言い含めておこう。

身体強化ポーションも身体強化魔法も、そして重力軽減魔法や追い風魔法とかも、別に馬を対象としては使えないというわけじゃないんだから……。

＊　　＊

「……どうなっておるのだ！」

王都にあるクルト商会本店で、商会主が番頭のひとりを怒鳴りつけていた。

「どうして僅かな間に利益がこんなに減るのだ‼」

どうしても何も、それは売り上げが減ったからに決まっている。

そしてそれくらいのことは、当然商会主にも分かっていた。馬鹿ではないし、毎日自分で帳簿を付けているのだから……。

「セイトス商店がヘマをしでかしたのは、まぁ、分かる。どんなことにも、思わぬ落とし穴や失敗はあるものだ。

だが、あの街でのセイトス商店の役割は、買い付けだ。

小売りであれば、信用と評判を失った店は大きく売り上げを落とす。それは当たり前だ。

しかし、買い付けであれば、掛け売りではなく現金取引ならば売り惜しむ者はいないだろうが！

それが、どうして買い付けができないのだ！

……そして、なぜセイトス商店とは何の関係もない他の街でも買い付け量が減ったり、価格が上昇したりしているのだ‼」

……そう。

ルール違反をして儲けているなら、それを1ヵ所だけでしかやっていないとは思えない。

そう考えたカオル達は、あちこちの街に調査の手を伸ばしたり、王都本店の従業員のうち、お金に困っている者を買収したりして、クルト商会がセイトス商店のような偽装支店を出している街を調べ上げて、それぞれの街において、偽装支店が買い入れている主力商品に対して同じようなことを仕掛けたのであった。

勿論、それぞれの街に正規の支店を置いている商会の協力を得て……。

そう、どこの商会も、苦々しく思っていた相手を懲らしめることができるということ、そしてトレーダー商店がやられたことを知ると、快く協力してくれたのである。

いくら『ムキになって騒ぐ程のことではない』として無視してはいても、やはり意趣返しができる機会があれば、一口乗るのも吝かでない、というところが大半であった。

普通であれば、そんなに早く各地に手を回せるはずがない。

しかしカオル達には、ある程度遠方の街であっても、『夜に出掛け、向こうの街で丸々1日行動し、次の夜に戻ってくる』ということができた。それも、3人全員が……。

そして更に……。

「どうしてうちの主力商品まで売り上げが落ちているのだ!!」

そう、他の街にこっそりと支店モドキを出して買い入れている商品だけではなく、クルト商会の本来の主力商品の売り上げまでが低下していたのである。

大店は、様々な商品を扱う。

しかし、全ての大店が同じ商品ばかりを扱うわけではなく、それぞれの得意分野というか、『あの商会は、何々の品揃えがいい』、『あの店の何々はモノがいい』というように、ある程度の専門分野というものを持っている。

売り上げ全体の中で占める割合は低くとも、それが店の特色であり、客寄せのための強力な武器なのである。

……もしその『得意分野』が他の店に荒らされ、『向こうの店の方が、安くていい品がたくさん揃っているよ』と言われれば……。

＊　　＊

「でも、まさか、選りに選って、得意分野が海産物だとは……」

「あはは……」

クルト商会が扱っている、日保ちする全乾品の干物や塩漬けだけでなく、うちが卸している『あまり日保ちしないやつ』、つまり半乾品や海藻類、貝とかも揃えているターヴォラス商会王都支店とホークス商会本店の方が、海産物の種類が遥かに豊富で、おまけに質が良くて美味しいのである。

価格は、今後のことを考えてあまり安くはしていないけれど、それでも全乾品はクルト商会よりは少し安い。

……別に無理をしているわけではなく、クルト商会が利潤率を高く設定しているだけだ。なので、ずっとこの価格で売り続けることに問題はない。『リトルシルバー』は、販売益だけでなく、輸送費分で大儲けだ。

そして半乾品は、輸送に時間がかかるクルト商会には王都で販売することは不可能である。

……生の魚？

いや、さすがにそれは、無理がある。

内陸部である王都でそんなものを売れば、怪しいにも程があるよ……。

＊　＊

「仕入れ先は判明したか！」

「いえ、それが……」

売り上げ急落の原因は、すぐに判明した。

他の商家、ホークス商会と、地方都市にできたばかりの新興の弱小商家の支店が、クルト商会の強みである海産物を大々的に取り扱い始めたためである。

海産物自体の売り上げはそう大きなものではないが、海産物目当てに来た客は、ついでに他の商品も買っていく。他の商店と品質も価格もそう変わらないのであれば、わざわざ別の商店に行く必要はないのだから。

……もし、その集客に大きく貢献している海産物の魅力がなくなったら？

他の商店に、もっと安くて美味しい海産物が豊富に並べられたら？

海産物だけでなく、他の商品全ての売り上げが激減する。

そして今、それが現実となったわけである。

店の、死活問題であった。

なので、すぐさま番頭や手代達に調査させた結果が、これである。

具体的な理由は、すぐに判明した。

ふたつの商店による、海産物の販売開始である。

……しかし、その仕入れルートが判明しない。

それさえ分かれば、妨害、割り込み、仕入れルートの乗っ取り等、色々と打てる手段はある。

だが、仕入れ先も輸送ルートも仲介業者も何も分からないのでは、どうしようもない。

ホークス商会と新興商家は何の関係もなさそうであったし、ホークス商会の支店がある街と新興商家の本店がある街とは、かなり離れている。そしてホークス商会の支店がある街に至っては、海に面してすらいなかった。

なので、地方の街同士での繋がりがあるとは思えず、繋がっているとすれば王都において、ホークス商会の本店と地方都市に本店を持つ新興商家の王都支店が組んでいるのであろうと思われた。

……勿論、地方都市にある本店からの指示を受けてのことであろうが……。

さすがに、王都において他の商店に対し非合法な手段で堂々と実力行使するわけにはいかない。

商業ギルドはそういうことにはうるさいし、そんなことをすればホークス商会が貴族や警備隊の上層部に圧力を掛けるであろう。

クルト商会にも勿論伝手はあるが、色々と後ろ暗いことにも手を出しているため官憲の介入は避けたかったし、クルト商会やその伝手がある貴族達には、敵対勢力がいる。なので余計な面倒事は避けたかった。

それに、伝手を頼る場合には、それなりの出費が必要となる。

……なので、やるのであれば仕入れ先である遠方の小さな漁村とか、輸送中である。

しかし、商業ギルド、輸送を請け負う馬車屋、護衛を請け負う傭兵ギルドやハンターギルド等、どこを調べてもルートが判明しないのである。

信用を重んじる商業ギルドや馬車屋はともかく、傭兵やハンターならば、酒でも奢ってやれば口が軽くなるものであるにもかかわらず……。

さすがに、顧客の安全に関わることや個人情報を喋る者はそう多くはないが、既に終わった仕事のことであれば盗賊に情報が流れるという心配もないし、少し金を積めば『漁村からの荷を護衛した』という程度の、何の価値もなく誰かの危険に繋がることもない世間話のひとつくらいは、普通に喋るはずであった。

だが、酒を奢り小遣い銭を握らせた彼らが喋るのは、クルト商会が依頼した件や、無関係の店が依頼した、少量のごく普通の全乾品に関するものばかりであった。

……こういう時には、向こうの店の従業員を抱き込んで情報を吐かせるのが常套手段であるが、それはこのクルト商会のような店に対してであれば効果があるものの、堅実で店員を大事にする店に対しては効果が薄かった。

もし店員が『正義感による告発』以外の理由で雇用主を裏切った場合、その情報は商業ギルドを介して多くの者に共有される。

そして、本人は元より、その家族、親族に至るまで、商家のほぼ全てと、多くの他業種において、就職が難しくなる。

日雇いの肉体労働とかであればあまり問題なく雇ってもらえるであろうが、金銭や重要な情報を扱ったり、信用が必要な業種であれば、ほぼ絶望的であろう。

また、兄弟姉妹や子供達、甥、姪達の結婚も、かなり厳しいことになる。

せっかく堅実な商家に勤めているというのに、端金のためにこのようなリスクを冒す者がいるはずがない。

ならば、家族も親族もいない孤児であれば、というのが、孤児達がまともな職に就けない理由のひとつでもあるが、それは大きな誤解であった。

孤児達の団結は固い。

いつもは喧嘩ばかりしている仲の悪い孤児同士であっても、孤児達に対する共通の敵が現れた時には、生まれた時からの親友同士であるかのようなチームワークで共闘し、互いに助け合う。

その孤児達が、他の孤児の信用を落として迷惑を掛けるようなことをするはずがなかった。

同じ孤児院の後輩達だけでなく、国中の、いや、大陸中の孤児達の働き口を減らすことになるくらいであれば、自らの死を選ぶ。そういう者も、決して少なくはない。

……つまり、孤児達は決して勤め先を裏切らない、ということである。

ならば、クルト商会が選ぶ手段は……。

「店員を攫え」

「はい！」

躊躇(ためら)う様子もない商会主の指示と、それに驚いた素振りもなく答えた部下。

……明らかに、初めての命令とは思えなかった。

おそらく、既に何度かやった、『やり慣れた仕事』なのであろう……。

「それで、どちらにしましょうか？」

「新興の方だ。いくら地元の領主が関係する店とはいえ、所詮は田舎の弱小貴族だ、この王都においては碌(ろく)に伝手も後ろ盾もあるまい。店員の質も悪いだろうし、まだ教育も行き届いてはいまいしな。ホークス商会よりはずっと簡単だろう。

子供の誘拐ではないのだ。うまくやれば官憲は動かないだろうが、店が独自に人を雇って調査させると面倒だからな。そういう余裕がないと思われる、小さな方を狙うのが良いであろう」

「はっ、了解いたしました！」

攫った店員は、多少痛めつけはしても、殺したり大怪我をさせたりするつもりはない。

こちらの正体を知られないように上手く尋問すれば、無事帰してやることに問題はない。

万一の場合は、仕方ないが……。

そう考える、商会主。

その場合でも、官憲など、何の問題もない。

数枚の銀貨を奪うために平気で人を殺す連中など、いくらでもいる。

なので、死体はそのあたりの路地裏に転がしておけば問題ない。ゴロツキに襲われた不幸な被害者、ということで、捜査もされないであろう。

監視カメラもなく、指紋採取も血液鑑定もできず、余計なことには関わりたくないと証言してくれる者もおらず、ゴロツキ仲間が虚偽のアリバイ証言をする。

そしてそもそも、金目当て以外の動機もない行きずりの犯行とあっては、容疑者の絞り込みもできない。

なので官憲は、最初から犯人を捜そうという気がない。

そのため、犯人は襲った相手が返り討ちにして現行犯逮捕するか、その場で殺すしかないのであった。

商会として、他の商店に対してあからさまな圧力を掛けたり、嫌がらせをしたりするわけにはいかない。

……しかし、『たまたま、店員がゴロツキ共の被害に遭った』のであれば、それは店とは関係ないことであり、全く問題はなかった。

＊　　＊

「店の者が襲われました！」

「何だって!!」

店に飛び込んできた使用人が叫び、支店長さんが驚愕(きょうがく)の叫びを上げた。

今回は私が輸送番であり、ターヴォラス商会の王都支店に商品を運んできた。

ムーノさんのお仲間である支店長と副支店長に挨拶して、お茶と茶菓子を戴いていたところだ。

このふたりは、絶対にムーノさんを裏切ることはないだろう。

……でも、勿論、私達の秘密を知っているわけじゃない。

今の私は、モブ顔に変装して『『リトルシルバー』に雇われた、輸送隊の責任者』としてここに来ている。『カオル』としての私はムーノさんとはかなりの付き合いになるけれど、このふたりとは何度か顔を合わせた程度に過ぎないから、喋り方や動作の癖とかから正体がバレることはないだろう。

荷は、勝手に倉庫に入って置いてきた。

そういう契約になっており、ムーノさんから『絶対に信用できる輸送屋だから、好きにさせろ』って伝えてもらっているからね。

……勿論、『カオル』である私から、そう伝えるようお願いしたのだけど。

いやいや、今はそんなことどうでもいい！

「誰が襲われた！　無事か！　怪我をしているのか！　まさか……」

「大丈夫です。怪我はしていますが、命に別状はありません！　襲われたのはコーレイです。今、診療所に。

……で、コーレイは大した怪我じゃないんですが、たまたま通り掛かって助けてくれた、非番の警備兵が……」

……いかん。

私は、私に関わってくれている人達は勿論だけど、その『私に関わってくれている人達』に良くしてくれている人達にも、理不尽な目に遭って欲しくはない。

そしてその『理不尽な目』が、私達に関係することで生起したならば……。

うん、戦争の始まりだ！


「すみません、失礼します！　おい、この人のお世話を頼む‼」

支店長と副支店長は、近くにいた店員にそう告げて、慌てて店から飛び出していった。

当然、行き先はその『診療所』とやらだろう。

祈ることしかできない神官のところではなく、医師と薬師がいるという診療所に運ばれたのは幸運だったのだろうな。

おそらく、怪我をすることが多いであろう警備兵が一緒だったのが功を奏したのだろう。

警備兵が、怪我をする度に神官にお祈りしてもらうとは思えない。プラシーボ効果しかないお祈りではなく、ちゃんとした処置と薬の方を選ぶだろうからね。怪我の多い警備兵達には、経験的にどちらが効くかは分かっているだろうから……。

そして私は、支店長達に代わって私の接待をしようとしてくれた店員に向かって、右手を軽く横に振った。

「いえ、お構いなく。仕事は終わりましたので、私は部下達が待つ宿屋に戻りますので。

王都を発つ前には、また御挨拶に参ります」

バタバタし始めた店にいては、邪魔になるだけだ。

そして私には、行かなきゃならないところがある。

レイコと恭ちゃんに相談せずに独断専行になっちゃうけれど、仕方ない。

私達のせいで一生を棒に振る人ができるのは、看過できない。それは、私達の許容範囲外だ。

……アレだ。

ＫＫＲ三原則の、第1条。

『善人に危害を加えてはならない。また、その危険を看過することによって善人に危害を及ぼしてはならない』ってヤツ。


店を出た私は、細い路地に入って人目がないのを確認し、変身した。

「チェ～ンジエディス1、スイッチ、オン!!」

小さな声でお約束台詞を呟き、光学的変装用のブレスレットの設定を変えた。そして髪と眼、肌の色を変えるポーションを飲み、上着を脱いでアイテムボックスに突っ込む。

エディス用の服を取り出して着てから、服の内側に手を突っ込んでごそごそし、スカートを脱ぎ落とした。

……さすがに、いつ人が来るか分からないところでストリップはやらないよ。

何しろ、私が着けている下着は日本式のやつなので、この世界では痴女認定間違いなしのシロモ

ノだ。

いや、たとえこの世界式の下着であろうと、路地で服を脱いで下着姿になっていたら、立派な痴女か……。

とにかく、日本の女の子は、服を着たまま水着を着たり、下着を見せずに着替えたりする技術を習得しているのだだだ！

＊　＊

「すみません、こちらに怪我人がふたり運び込まれたと聞いたのですが……」

なにやら巫女か女性神官が身に着けるような衣服を纏い入ってきた少女に、怪訝そうな顔をする女性。

無理もない。祈りで怪我や病気を治す（と言い張っている）神殿勢は、刃物や針と糸で人間の身体を継ぎはぎする医師や、怪しげな草を食べさせて怪我や病気を治すという薬師とは仲が悪く、診療所に来るようなことはないからである。

しかし、12〜13歳くらいに見える少女を無下に扱うのも気が引けるし、この服装は神職に憧れる少女のただのファッションかもしれない。そう思い、女性はちゃんと応対してくれた。

「ああ、警備兵さんと商人さんね？　奥の治療室よ。どちらかの娘さん？」

「いえ、勤め先関係で……」

身元確認のつもりなのか、ただの間を保たせるための会話に過ぎないのか分からない女性からの振りに、そう言って言葉を濁す少女。

適当に、『はい、そうです』と言えば済むものを、そうは言わないということは、嘘(うそ)は吐きたくないのか、クソ真面目なのか……。

そう思い、女性は少女に対して抱いていた僅かばかりの不信感をすっかりなくしていた。

元々、貧乏所帯の診療所を騙(だま)して食い物にしようとする者などいないし、神殿の神官達が相手にしない貧乏人にとっては診療所は命綱であるため、悪党達もここに手出ししたりはしない。

もしそんなことをすれば、自分や家族に何かあった時に困るし、官憲だけでなく、以前ここに助けてもらったことのある普通の王都民やら悪党連中やら、その他諸々に袋叩(ふくろだた)きにされてしまうからである。

……つまり、診療所を敵視しているのは神官達だけであり、ここの者達はあまり来訪者に対する警戒心を抱いていないのであった。

「……こっちよ」

女性に案内されて、奥の部屋へと向かう少女。

そして……。

＊　　＊

「……どなたかな？」

私が案内された部屋には、思ったより大勢の人がいた。

診察室兼治療室らしいけれど、そう広くはない部屋に、ぎっちりと……。

椅子に座っているのは、医師らしき人物と、薬師か助手らしき人、そしてふたりの怪我人。

立っているのが、若い女性がひとりと、30歳前後の警備隊の制服を着た男性、そして駆け付けて来たターヴォラス商会の支店長と副支店長。

私と案内してくれた女性を含めると、全部で10人。

診察用のベッドとか薬品棚、調剤用の設備とかもあるから、かなり狭い……。

まあ、案内してくれた人はすぐに出ていったから、今は９人になったけれど、大して変わらない。

私に誰何したのは、医師らしき人だ。

「あ、怪我された方の、商会の関係者です」

怪我人とは直接の知り合いじゃないけれど、これは嘘じゃない。

でも、『エディス』としての変装をした私とは面識のない支店長達は、ぽかんとしてる。

「あ、別に神殿の関係者じゃないです。私、どこにも所属していない、野良の巫女ですので……」

「「「「「野良の巫女？」」」」」

……まぁ、普通、驚くか。

そんな職業、私も聞いたことがないからなぁ……。

いや、神殿に所属していない巫女がいない訳じゃない。でも、そういうのは普通『自由巫女』と呼ばれていて、少なくとも自分で『野良』なんて自虐的な言い方はしない。

「……野良の？」

「はい、野良の……」

医師からの再確認に、再びそう言って頷く。

そして支店長達の方に向かって、小声で……。

「とある地方都市の、孤児院の出身なんです」

そう囁くと、あ、というような顔になった支店長と副支店長。

うん、ふたりは長年ターヴォラスで働いていたのだから、『リトルシルバー』の前身である孤児院のことくらいは知っているだろう。

……でも、そこにいた子供ひとりひとりを知っているわけじゃない。

ならば、そこの出身である野良巫女に、『リトルシルバー』となった元孤児院と今も繋がりがあったとしても、何の不思議もない。

「……で、怪我の状況は？」

巫女、つまり神殿に属してはいなくとも『祈禱系』である私には説明しても無駄、と思っているだろうけど、見たところ、治療はもう終わっている様子。怪我人はふたりとも包帯を巻かれており、非番だった警備隊の兵士の方は左腕を吊っている。命に別状はないようだ。

なので、特に急いでいることもなく、そして元々ここにいるみんなに対して説明をする必要があったからか、医師はみんなに聞かせるようにして説明してくれた。

「……商人さんの方は、殴られた部分の腫れと裂傷、捻り上げられた左腕が痛む程度であり、後遺症とかの心配はありません。口の中を切っていますので、今日は絶食、明日もあまり噛まずに食べられるものを。警備隊の方は……」

そして、患者の方から少し眼を逸らし、言いにくそうに……。

「左腕の腱が断裂しています。腕も指も動かせますが、おそらく、元のようには……。日常生活や事務仕事とかには大きな支障はありませんが、その……」

「兵士としては働けない、と？」

本人が、あまり悲壮そうな顔をすることなく、普通の口調でそう口にした。

そして、こくりと頷く医師。

それを聞いて、多分この兵士さんの上官だと思われる男性が、悲痛な顔で俯いた。

使用人が支店長に報告した言葉から、ある程度予想はしていた。

だから、あの時の輸送隊指揮官モードではなく、『エディスモード』にチェンジしてきたんだ。

まだしばらくは王都に姿を見せるつもりのなかった、『エディスモード』に……。

3人で立てた計画に沿って進めるなら、こんなことはすべきじゃなかった。

支店の従業員であるコーレイさんは、大した怪我じゃない。薬草をすり潰したやつを塗っておけば問題ないだろう。

……私の出番じゃない。

でも、非番なのに無関係の平民を助けようとして、自分の人生を台無しにしてしまったこの馬鹿な警備隊兵士を。

その横に寄りそう、恋人らしき女性を。

救わずに見捨てるようじゃあ、私を女神だと信じてくれている、エミール達『女神の眼』のみんなに合わせる顔がない。

……いや、今後も顔を合わせる予定はないけどね。

なぁに、私が治したということがバレなければいいんだ、バレなければ！

バレなければ、どうということはない‼

「……すまん。今回の件は、勤務時間外の私的な行動によるものであるため、公務遂行における負傷とは認められない。なので、公務傷害としての救済措置や給付金、見舞金、負傷退職者に対する再就職優遇支援とかの適用も対象外だ……」

上官の、本当に申し訳なさそうな顔での謝罪に、慌てて無事な方の手を横に振る兵士。

「いえいえ、それは当然のことです。勤務規約くらいちゃんと読んでいますので。非番なのを承知で、自分の意思でやったことですから……」

でも、商人さんを無事守れて、よかった……。

あ、ごめん、ジーナ。これじゃ、結婚はできなくなっちゃうね。ジーナのお父さんが結婚を許してくれたのは、僕が警備隊の兵士になれたから、だからね。これじゃ、また反対されちゃうよね。

……まぁ、その方がジーナのためにはいいか……」

そんなことを言い出した若い兵士を、女性が平手打ちした。

オイオイ、平手とはいえ、怪我人を叩くか……。

見た目は清楚（せいそ）な感じなのに……。

みんな、ドン引きだよ。

「この、馬鹿！」

「ごめん、馬鹿なことしちゃって……」

「違うわよ、この間抜け野郎がっ‼」

あ～、確かに、馬鹿で間抜け野郎だ。

女性の気持ちが全然分かってないよ、コイツ……。

……本当に、馬鹿だ。

そんな馬鹿には、それなりの報いを与えてやらなきゃね……。

「……ジーナさん。この馬鹿のために、自分の将来を捧（ささ）げるつもり、ある？」

「勿論！」

うん、いい返事だ。

見た目から、おとなしい娘さんかと思っていたら、結構肝の据わった娘さんだったよ……。

「ジ、ジーナ……」

感動で眼をうるうるさせた怪我人が何か言ってるけど、無視だ、無視！

「では、神殿勢力とは全く関係のない、野良巫女による祈禱を行います」

うん、神殿への信仰に繋がったりしないように、女神の奇跡は神殿とは無関係であることを強調しておかなきゃならない。

「……野良ネコ？」

「『野良巫女』です、ノ、ラ、ミ、コ‼」

ネコと和解せよ……、って、うるさいわっ！　棒線が2〜3本足りとらんわ‼

……とにかく、空気を読まないボケにそう返し、『祈禱』に関する説明をば……。

「私は、村々で慈善活動を行っている、ただの普通の巫女に過ぎません。……ちょっと女神様にコネがあるだけの……」

「「「「女神様にコネがあったら、『ただの普通の巫女』であるもんかああっ‼」」」」

あ、何か、懐かしい響きのフレーズだなぁ……。昔を思い出して、じんわり来そう……。

「それでまぁ、お祈りをすると、ごくたまに女神様が願いを聞き届けてくださる場合があるのです。

……但しそれは、その願いが叶えるに値するものであり、本人だけではなく他の者も心からそれを願い、なおかつその者が心正しき者であり、更に女神様の気が向いた場合のみという、とても確率の低いものなのですが……。

また、私には何の力もなく、ただ単に女神様に『こういう件があるんですけど、何とかなりませんか？』というメッセージを送るだけであり、私自身が治癒の力を持っているとかいうわけではありません。私自身は、ごく普通の人間ですから……」

「「「「「だから、女神様にメッセージを送れるヤツが、ごく普通の人間であるものかあああぁっっ!!」」」」」

……え？

御使い様とか大聖女とかじゃなくて、ただの野良巫女なんだから、ごく普通だよね、それくらい……。

いや、まぁ、神殿が抱えている『自称、聖女』とかも、別に本当に女神から託宣を賜るわけじゃないからね。

……昔、セレスが『あの連中、勝手に託宣を捏造してる』って怒ってた。

だから、私が言ってることも、あくまでも『自称』であり、気休めのプラシーボ効果くらいのものだと受け取られて、軽く流されると思っていたのだけど……。

何か、随分食い付くなぁ……。

まぁ、苦しい時の神頼み、ってやつかな。もう、他に頼れる手段がないから……。

とにかく、外野はどうでもいい。今は、ジーナさんとの話を進めよう。

「では、ジーナさん、この方がいかに誠実な方であるかということ、そして是非女神様にお助けいただきたいということを、強く願ってください。

繰り返しますが、私には何の力もありません。あくまでも奇跡を願うのはジーナさん自身であり、それを聞き届け実現させるのは女神様です。いいですね？」

「……は、はい！」

おそらく、本当に信じているわけではないだろう。

でも、溺れる者は藁をも摑む。駄目で元々。どうせ無料なのだから、祈っておいても損はない。

そもそも、この世界では女神は実在するわけだから、女神の名を騙った詐欺とかは存在しない。

おまけに、私は聖職者っぽい恰好をしているからね。効果の有無はともかくとして、私に悪意がないということだけは、ここにいる誰もが理解してくれているだろう。

そして、両手を合わせて眼を瞑り、祈り始めるジーナさん。

よし、私も……。

「女神様、どうかこの敬虔なるしもべの言葉をお聞きください……」

祈りの言葉に、セレスティーヌ、という名は付けない。もしたまたまセレスが覗いていたら、自分が呼ばれたと思って出てくる可能性がゼロじゃないからだ。

もしそんなことになれば、大騒ぎになっちゃう。だから、わざと名前を呼ばないことで、『こういう芝居をやっているだけで、別に本当に呼んでるわけじゃないからね！』という意思表示をしているわけだ。

私は、本当に呼ぶ時や面と向かって話す時には『セレス』って言うからね、お友達モードで。

その方が、喜んでくれるからね、セレス……。

そして、兵士さんの胃の中に、ポーションを作製。

……あんまり強力じゃないやつ。目立たないようにね。

でも、ちゃんと治るということをはっきりさせないと、この人が警備隊を首になってしまう。

だから、『腱は繫がって治るけれど、皮膚は裂けたままで、血は止まる』というような、微妙な効果にした。皮膚の裂傷くらいであれば後遺症が残ることはないだろうし、警備隊の兵士にとっては日常茶飯事の、よくある怪我に過ぎないだろう。

もし傷痕が残っても、それはこういう人達にとっては勲章であり、何の問題もないだろうと思う。

そして、外見が普通の傷痕のままならば、ここにいる者達以外には奇跡の存在を確認することはできない。

……元々、腱は切れていなかった。

つまり、最初の診察結果が間違っていた。……誤診だったと思われるだけだ。

誰も、奇跡が起こったことなんか信じないだろう。

もし万一信じたとしても、それは敬虔なカップルの愛によるものであり、噂が伝わるうちに野良巫女の存在は省略され、消え去るだろう。

奇跡の存在を広めたいわけではない私にとっては、その方が都合がいい。

「ん……」

何だか左腕がムズムズするらしく、おかしな顔をする兵士さん。

うん、多分、腱がもぞもぞと動いて繫がろうとしているのだろう。

……そりゃ、気持ち悪いわっ！　それが見えなくて、良かったよ……。

兵士さんの様子を見て、医師が左腕を触診し、驚愕に顔を引き攣らせ、そして再び何度も兵士さんの腕をさすったり指でなぞったりと色々調べている。

あ、私からもちゃんとフォローしなきゃ！

「おお、今回は女神様が願いを受け付けてくださったようですね。運がいい……。

勿論これは、ジーナさんと兵士さんの祈りの力と日頃の行いのおかげです。私はただの仲介者、取次ぎ役に過ぎないので、何の能力もありません。ただの、普通の『流しの野良巫女』に過ぎませんので……」

よし、これだけ念を押しておけば、大丈夫だろう。

今回の女神の御助力は、清く正しい兵士と、その兵士の恋人の『愛の力』によるものだ。

その方が、話としても面白いからね。

噂というものは、事実ではなく、面白くてセンセーショナルなネタが広まるものなのだ。

「「「「「……いや。いやいやいやいやいやいや!!」」」」」

……え？

みんなの視線が、奇跡のカップルではなく私に集中している……。

何か、マズいことでも？

……どうして、医師が私の服の裾を摑んでいる？

どうして兵士の上官さんが、スッとドアの前に移動して出入り口を塞いでいる？

どうして……。

「あ、あの……」

私の、戸惑ったかのような声に、ハッとした顔でドアの前から身体を避けてくれた、上官さん。

「す、すまん、つい……」

おそらく、悪気はなかったのだろう。ただ、怪しい者は逃がさず確保する、という習性で、無意識に身体が逃走経路を塞いだだけで……。

……そして、医師は握った私の裾から手を放そうとはしていない……。

よし、脱出！

医師の手を振り払い、開かれた逃走ルート、つまりドアに向かってダッシュ！

……そして……。

びたん！

盛大に、ずっこけた。

ひょいと差し出された、クソ上官の足に引っ掛けられて……。

そして、思い切り、顔面を床に強打した。

……あ、鼻血、出た。

「やんのか、ゴラァ!!」

「え……？」

「どうして喧嘩売ってきた方がきょとんとしてるんだよっ！」

「あ……、いや、すまん！　日頃の『不審者は絶対に逃がさない』という訓練のせいで、つい、反射的に……」

「うるせえよっ！」

ふざけんな！

「あの～……」

ん？　ジーナさんが、何か聞きたそうな顔をしてる。

……というか、既に聞いてきてる。

「野良巫女様って、そんなに口が悪くても務まるものなんですか？」

うるせえよっ!!

＊　＊

あの後、怒った振りをして、問答無用で現場から離脱した。

……いや、『振り』じゃなくて、実際に怒っていたけどね！

それも、激怒だ、大激怒!!

あの、クソ上官め……。

いや、まあ、おかげでしつこく訊かれることなく離脱できたから、まあいいんだけどね。

これで、私の正体は不明、ただ『怪我した商人の勤め先の取引相手が使っている建物の前身である孤児院出身かもしれないい、神殿には所属していないフリーの野良巫女』としか分からない。

うん、もし万一『リトルシルバー』に調査の手が伸びても、『ここを買い取ったのはごく最近なので、そんな何年も前に孤児院にいた人のことなんか知りませんよ』で済む。

街の人達に聞いて廻(まわ)っても、そんな子はいなかった、で終わりだ。

支店長達に、私があの街の孤児院出身だと示唆したのは、ちょっと早まったかもしれないけれど、『何も接点がないのに急に現れた、謎の巫女』じゃあ、あまりにも苦しい。それじゃあ話も聞いてもらえなかっただろう。

だから、冒さざるを得なかった、必要最低限のリスクだ。仕方ない。

今回の件は、見た目としては、大したことじゃない。

左手の腱が切れたと診断された者が、実は切れていなかった。そして外傷は、治ることなくそのまま。

……客観的に見れば、ただの、初診時の誤診に過ぎない。

そこには、奇跡だとか御使い様だとかが介在した様子は、全くない。

そもそも、女神や御使い様が姿を現したという数十年前のことだけど……。

あのルエダ聖国上層部が壊滅した事件と、その後のブランコット王国の政変後は、大陸中の宗教関係者が改心したように見えたらしい。……一応は。

しかし、その後女神セレスティーヌが姿を現すことも託宣を行うこともなく数十年の刻(とき)が過ぎ、もはや当時のことをリアルタイムで知っていた者の姿はない。

偏った食生活のため老化が早いこの世界では、村の大長老とかですら、事件が起きた頃はまだ生まれたばかりの赤子であったのだ。

それに、ここは事件が起きた場所とは大陸を挟んだ反対側である。

当時ですら、歪んで尾ひれが付いた、矛盾だらけの滅茶苦茶な話が何種類も伝わってきたため、まともに信じる者など殆どいなかったらしい。

……それから、数十年である。この国の宗教関係者で、本当に女神に対する畏怖と信仰の心を抱いている者は、決して多くはないらしい。

そう。多くの聖職者は、お金と出世、贅沢と女性にうつつを抜かしているのだ。よくあるように……。

一部の、あの頃のことを直接知っていた世代の者達に口を酸っぱくして何度も何度も教え込まれた者達は、まだ正しい知識と信仰心を持ってはいるらしいのだけど……。

だから、年配の上層部の者達は敬虔な信者であり、中層から下層の若い者達の多くが破戒神官であるという、普通に考えると逆ではないかというおかしな状況らしいんだよね……。

……つまり、私の第一シーズン、『なんちゃって御使い様』のことを正確に知っている者や、それを額面通りに受け取っている者なんか、平民と直接接するところにはいないってことだ。

ごく一部の『そういう知識のある人』は、神殿の奥深くでふんぞり返っていて、街をひとりで出歩いたりはしないだろうし、平民で長生きしている者達は、もう棺桶に片足突っ込んでいて、自由に街を歩けるような身体じゃないだろう。

……結論。

私に関する昔の情報と、今の私、そして今回の件を繫ぎ合わせられるような者など存在しない、ってことだ。

よし、セエェエェ～～フウゥ～!!

＊　＊

「……ということが、ありました……」

『『…………』』

取っている宿の部屋に戻ってから、アイテムボックスから取り出した通信機でレイコと恭ちゃんに状況報告。

「大したことにはならないとは思うけど、一応、知らせとこうかと思って……」

『『……』』

『『…………』』

『『…………』』

「……あの……？」

『『そんなにうまくいくかああぁ～～!!』』

「あ、やっぱり？」

大丈夫だと自分に言い聞かせて、気にしないように努めていたんだけど、……やっぱり駄目か。

がーん!!

『だいたい、トラブルを引き起こすのは恭子の担当でしょう！　カオルがやらかしてどうするのよ！』

『そうそう……、って、え？　何よソレ！　まるで私がトラブルメーカーみたいに！』

（え？　自覚してなかったのか、コイツ……）

『とにかく、野良巫女エディスの恰好は王都ではしばらく封印！　まさか、まだエディスのままってことはないわよね？』

「あ、うん、勿論今は宿を取っている『輸送隊の女性指揮官』の姿だから、大丈夫だよ。さすがに、そこまで馬鹿じゃないよ」

『……それで、勿論その場にいた者達には口止めはしてるわよね？』

「……あ……」

『『……』』

『『…………』』

『『……………』』

『支店長達は、大丈夫か……。商人が、状況を把握もせずに他者の個人情報を自発的に流すとは思えないから。

でも、権力者に命令されれば駄目ね。さすがに、自分達の命と商会を守ることより優先させることじゃない。

警備隊の上官は、当然ながらとっくに上司に報告してるわね。口止めされていないなら……。

医師は、……どうかなぁ。

神殿の祈禱師とは対立しているから、神殿側に利することを吹聴することには抵抗があるかも。

仲間達と共に非科学的な迷信や神官達による医学の進歩に対する妨害行為と闘っているというのに、こんなことを発表すれば医学の発展のために頑張っている者達にツバを吐くことになるし、裏切り者扱いは必至でしょうからねぇ……。

でも、それと女神に対する信仰心とは別物か。奇跡を目にしてしまった以上は……。

カオル、あなた、ひとりの人間を苦悩の泥沼に突き落としちゃったってこと、分かってる？』

「す、すみませんでしたぁ～!!」

『私に謝っても仕方ないわよ！　その医師に対するフォローを考えなさい！』

「は、はい……」

レイコは、こういう時には私や恭ちゃんにも容赦がない。

ま、正論なんだけど……。

『警備兵カップルは、放置でいいわね。どうせ、「愛の奇跡です！」とか言って、みんなに口から砂糖を吐かれてウザがられるだけよ。誰も相手にしないでしょうね、おそらく……』

あ、やっぱり……。

＊　　＊

「……だ、誰だ！」

「人呼んで、野良巫女仮面！　……じゃなくて！」

夜遅く診療所に忍び込んだところ、医師がひとりで何やら書き物をしていた。

医師はここに住んでいて、薬師か助手の人は通いらしい。

警備の者がいるわけもなく、夜間は医師ひとりだけ。妻子はいない模様。

……で、そっと背後に忍び寄って、肩をトントン、と軽く叩いたわけだ。

そりゃ、驚くか。

「あ、あなた様は‼　よかった、是非お会いしたいと思っていたのです！　昼間の、あの技は！

あの、謎の力は‼」

振り返り、椅子を蹴り倒して立ち上がった医師に両肩を、思い切り摑まれた。

痛えよ！

セクハラだよ、コノヤロー！

セクシャル・ハラショーとは違うわっ‼

……いや、まあ、夜中に忍び込んで脅かしておいて、私に言えた義理じゃないか……。

「あれは、科学的な手法です。骨折を整復したり、傷口を圧迫して止血したり、縫い合わせたりするのと同じ、進歩した医学のひとつに過ぎません。決して、女神に祈って治してもらった、とかいうのじゃありませんよ。

……あれは、医学の何たるかを理解していない人に面倒な説明をしたり怪しまれたりしないようにとの配慮による、表向きの言い訳です。

そもそも、女神が、いちいち人間ひとりひとりの怪我を治して廻ったりはしませんよ。

世間には、怪我や病に苦しむ誠実で敬虔な女神のしもべがひとりもいないとでも？

その人達は、女神に治してもらえていますか？　いませんよね？

怪我や病気を治すのに、女神は関係ありません。それは、人間の力で成すべきことです。

医師と薬師の、努力と研究と知識の共有によって……」

「おお！　おおおおお‼　よかった。よかった……。決して、腐れ神官共の言い分が正しくて、医学が女神の摂理に反する無駄なものだというわけではなかったのだ……」

あ、泣いてる。

悪かったよ……。

でも、私は決して嘘を吐いているわけじゃない。

セレスはここでは女神だと思われているけれど、実際には凄く進化しただけの、ただの高位生命体だ。人間のような身体を持っているわけじゃないだろうけど……。

そして私のポーション作製能力は、超々高度な科学力によるものであり、決して魔法じゃないし、女神の奇跡でもない。

人間には、絶対に真似ができないけどね！

……うん、科学力だ、科学力！

アレだ、『十分に発達した科学技術は、魔法と見分けがつかない』ってヤツ……。

ここで、私がこの世界の医学発達の芽を摘むわけにはいかない！

……でも、あの時、私は怪我人に触れてもいなかったなぁ。

そのあたり、この人はどう考えているのだろうか……。

いやいや、小さいことは、気にしない！

「……で、昼間のことは、内緒にして欲しいのですが……。

変に神殿勢力の評判が上がるのも面白くないですし、心正しき医師や薬師の株が下がるのも困りますから……」

「え？　いえ、ならば本当のことを広めれば……」

うっ！　痛いところを……。

「いや、まだこの国には広まっていない技術ですから、それはちょっと……」

「いえいえ、だからこそ、これからその技術を広めねば！　そのためには、是非この機会に……。

医学の進歩には、知識や技術の秘匿など、愚の骨頂！　それらは皆で共有し、教え広め、皆が研究し先へと進まねば!!」

くそっ、正論だけに、反論できねぇ！

うむむ、こうなったら……。

「あれは、私の故国で発明された、他国には秘密の力！　他国の者に漏らせば、厳罰が……。

治癒に使うだけであれば問題ないのですが、悪用も可能であるため、方法は秘密です。

それは、あなた方、この国の者達で辿り着くべきもの。他者の物真似をして得たのでは、そこから先へと進むことはできません！」

「さっきと、言ってることが違う!!」

くそっ、騙されないか……。

仕方ない……。

「うるせぇよ！　女神の託宣だ、このヤロー！　絶対余所で喋るなよ！　助手か薬師の、もうひとりの方にも口止めしとけ!!」

よし、離脱！

＊　＊

「……というように、ちゃんと口止めしてきたよ！」

『『……』』

「あれ、どうかした？」

『『…………』』

「あの……」

『『……………』』

『カオル、あなた……』

『何考えてるん？』

「あ、やっぱり……」

＊　＊

「……というわけで、昨日のことは内密に……」

「分かりました。確かに、あのようなことが貴族や王族、そして神官達に知られたら、色々と良からぬことを考える者も現れるでしょうからね。

幸い、彼女の出身については私達に小声で囁かれたのみ。他の者には聞こえていないでしょう。

ならば、もし誰かに尋ねられても、彼女の『商会の関係者』というのが嘘であり、私達も正体を知らない、と言い張れますからね。あの時、明らかに私達は彼女と初対面だという反応をしていましたから、疑われることはないでしょう。

勿論、私共の方から誰かに対してこの話題を出すことはありません。使用人（コーレイ）を助けてくださった方の恩人は、すなわち使用人（コーレイ）の恩人であり、それは当商会の恩人ですから。

勿論、使用人（コーレイ）にも再度しっかりと口止めをしておきます。

念の為、昨日のうちに、既に口止めはしてありますが……」

支店長の言葉に、副支店長もこくこくと頷いている。さすが遣り手商人、分かってるなぁ。

よし、こっちは円満に説得完了！

今の私は、野良巫女エディスではなく、輸送隊指揮官の姿だ。

そして、野良巫女エディスは私の知り合いであり、私が頼んで診療所へ行ってもらった、ということにしている。

……でないと、エディス登場の説明がつかないし、私から口止めする理由も説明がつかない。

まあとにかく、こっちはこれでひと安心！

「……でも、警備隊の方から話が広まるのではないですか？　あのバカップルはともかく、上官の方はそれなりの報告を上げるのではないかと……。官僚組織ですからね、警備隊は。

あの上官の方がアレをどのように報告し、それを上の方がどう受け取り、信用するか、笑い飛ばすか……。

その者達が奇跡を信じるかどうか。部下の戯言と一笑に付すかどうか。金儲けや利権の臭いを嗅ぎ付けるかどうか。情報を自分達だけで囲い込むか、更に上へと伝えるかどうか。

あまりにも不確定要素が多過ぎて、予想も付きませんが……」

「あ……。あああああああああ〜〜‼」

忘れてた。

バカップルは、何を言おうが『愛の奇跡』とか言ってる限り誰もまともに取り合わないだろうけど……。

警備隊の上官！

ああ、もう、口止めするには遅過ぎる！

というか、無関係の平民に口止めされたからといって、報告をしない警備隊の上役はいないよ。

たとえ『野良巫女エディス』本人が口止めしても、報告しないわけがない。

マズい。

レイコと恭ちゃんに、怒られる……。

＊　＊

『…………』

「…………」

『カオル……。どうして、一番ヤバいところを忘れるのよ……』

「ごめん……」

定時連絡の時間じゃないけど、緊急呼び出しでレイコと恭ちゃんに連絡したところ、案の定、呆れられた後に、怒られた……。

『計画の大幅修正が必要ね。もう商品の納入は終わったんでしょ。カオルはすぐに帰投！恭子も、なるべく早く戻って。本拠地でじっくり相談しましょう』

『了解！』

「わかった……」

仕方ない。今回は、完全に私のせいだ。

以前はもっと慎重に行動していたのに、レイコと恭ちゃんが来てくれて、安心して気が緩んじゃったかなぁ……。

いざとなったら、また逃げ出せる。それも、簡単に……。

心の底でそう考えちゃって、行動が杜撰（ずさん）になっちゃってた。

第一シーズン（アイテムボックス前）の私なら、絶対こんなことしなかったよね。もっと上手（うま）く立ち回ってたはず。

……私達のせいで、後遺症が残って人生に影響が出るような怪我を負わせた。しかも真面目で善人だと思われる若者に、となって、カッとなって視野が狭くなってた。

要・反省、だなぁ……。

よし、今はとにかく、帰投だ！

＊　＊

私が『リトルシルバー』に戻った時には、恭ちゃんは既に戻っており、私の方が遅かった。

そして、私達3人全員が揃うと、子供達がはしゃぐ。

なのでちょっと豪華な夕食にしてやり、はしゃぎ疲れた子供達が沈没した後、部屋に運んで寝かせてやった。

その後、地下司令部に移動し、飲み物の用意をしてから会議を始めた。

「私達の作戦のとばっちりを受けて、人生が台無しになっちゃいそうな人ができて、ちょっと錯乱気味になって焦ったのは分かる。

カオルは、自分のせいで誰かに迷惑がかかった場合、異常に焦るからねぇ……。

……でも、さすがにちょっとグダり過ぎ。ここで立て直すよ！」

「うん、ごめん……」

レイコの指摘に、素直に謝罪した。

当たり前だ。

せっかくみんなで考えた計画を、私の勝手な行動のせいで、大幅修正が必要になるかもしれない状況にしてしまったのだから……。

「謝罪を承認！」

「同じく！」

よし、終わった！

いや、レイコと恭ちゃんも、失敗して他のふたりに迷惑をかけることはある。

なので、お互い様。

だから、その失敗が不可抗力だったり、情状酌量の余地があったりした場合には、本人がちゃんと反省したり、再発防止に努める旨の約束をしたら、謝罪によって水に流すことになっている。

……いや、悪かったとは思っているよ、さすがに……。

まあ、とにかく、これ以上私の非を責めることなく、仕切り直して3人一緒に考えよう、ってことだ。私が引け目に感じて意見を出すのを遠慮する必要はない、ということで……。

「まず、状況の再確認。これから、どうなると思う？　一番状況が分かっている、カオルから説明して頂戴」

レイコの仕切りで、本題がスタート。まずは、私の説明から。

「通信機での報告の通り、私達の作戦のとばっちりで後遺症が残りそうな怪我をした善人が、職と結婚相手を失いそうだったため、ポーション能力を使用して治癒。

焦っていたため情報の秘匿に失敗、３グループの目撃者が発生。

グループのひとつは、うちに関係する商人で、情報の拡散の確率は極小。

もうひとつは、医師とその助手であり、情報拡散の確率は小。

最後のひとつは警備隊関係であり、３人のうち、怪我をした者とその恋人は、何を喋っても信用されそうにないから脅威度は極小。

そして、残ったひとりが、……怪我人の上官であり、一番の問題点。

この人物が、上に報告したかどうか。その内容は、どういうものか。その報告を受けた上の人物が、それを信じるかどうか。更に上へ報告するかどうか。この件を信じたり、食い付いたりする者が現れるかどうか。それを利用しようとするか、ただ女神に祈るだけかどうか。

……不確定要素が多過ぎて、どうしたものやら……」

「「…………」」

ま、そう言われても、レイコと恭ちゃんも判断に困るよねぇ……。

そして、レイコから根本的な提案が。

「とにかく、身バレ問題の前に、クルト商会を何とかしちゃおう。放置すると、また何かしでかしそうだからね。こっちが他のことで忙しい時にやらかされちゃ、堪んないからね。

それに、次は怪我人だけで済むという保証はないし……。

で、襲ってきた犯人はどうなったの？」

「逃げられた、って……。警備兵さんは怪我をさせられてたし、商人さんも打撲傷を受けていたし、そして相手は3人だったらしいから、無理もないよ。誘拐を阻止して追い払えたのが不思議なくらいだよ。

多分、警備兵さんが頑張ったから、これ以上やると大怪我をさせるか殺しちゃうと思って手を引いたんじゃないかと思う。

さすがに、殺人や重傷者を出したとなると、万一バレたら大変なことになるからと、雇い主から止められていたんじゃないかなぁ。誘拐の機会なんかまたいつでもあるし、攫う相手も、別に他の従業員でも構わないんだから」

「ま、そんなところでしょうね。捕まえても、多分雇い主の名前も知らないチンピラでしょうね、使い捨ての。前金少々と、後払いの成功報酬で雇った……。

攫った従業員の引き渡しと交換での支払いなら後払いでも取りっぱぐれはないから、チンピラ達もそれで了承するでしょうし。

じゃ、実行犯はスルー。黒幕が逮捕されて自白したら、警備隊に捕らえてもらいましょ。警備隊にも仕事をさせてあげないと悪いからね」

うん、それには賛成だ。少しは手柄を回してあげないとね。今回は、非番なのに大活躍してくれた若者がいるんだし。

「それと、診療所に対する態度だけど……。

カオル、あなた自分が理系だからか、第一シーズン（アイテムボックス前）のせいか、神殿勢力には辛辣（しんらつ）で、医学の進歩に貢献している人をフォローしたがるのは分かるんだけど、ここではあなた、女神側（ゴッデスサイダー）の人間なのよ？

あんまり科学至上主義、神殿下げの言動は、ちょっと……」

「え……」

「あの、しゃわしゃわする……」

「「それは、三ツ矢側（ミツヤサイダー）の人間!!」」

「……恭子は、ちょっと黙ってようか？」

「……うん……」

レイコに睨（にら）まれ、ビビる恭ちゃん。

「や〜い、怒られた！」

「カオル……」

ヤバい、レイコが本気で怒る寸前だ！

「ご、ごめん……」

とにかく、とりあえず、先にクルト商会の方を片付ける！

その後に、警備隊から上の方に上がったであろう報告によって引き起こされるかもしれない事象に対する対応を考えよう。

……そういうわけで、後は、だらだらと駄弁（だべ）りながらの相談が続くのだった……。

＊　　＊

「……じゃあ、そんな感じかな？」

「「了解！」」

うん、だいたいのことは決まった。

まずは、さっさとクルト商会を叩く。

……そもそも、身バレ危機の原因もコイツのせいだ。その分も追加でいく。

そして、その間に警備隊とその上の方で何か反応があるかどうかを確認して、それに応じて対処。

そっちは、動きが分からないと対処のしようがないから、今すぐにどうこう、というのは無理だ。

なので、後回し。各個撃破作戦である。

但し、思いがけず向こうの動きが早かった場合は、こちらもすぐに対応する。

できれば、警備隊内部で『そんな馬鹿な。寝惚けていたんじゃないのか？』、『ただの、最初の診察時の誤診だろう』ということで終わればいいんだけどね。

報告を受けた上の方の担当者が、そう思って笑い飛ばしてくれれば……。

せめて、下級貴族か何かの時点で、自分が甘い汁を吸おうと考えて情報を差し止めてくれれば、向こうからの接触があった時点で『情報が広まっている範囲』をサックリ、という方法が取れるのだけど……。

……いや、皆殺しとかいうのじゃないよ。ちょっとシメるだけだ。

ま、今はただ、幸運を祈っておこう。

＊　　＊

「確認したよ～。証拠、バッチリ！」

計画変更会議の2日後、恭ちゃんがそう言いながら現れた。

恭ちゃんのお店は、『新製品仕入れのため、しばらく休みます』ということにしているらしい。

そう頻繁には使えないけれど、この世界では他国や他の領地に行くには何日、何十日もかかるから、商談や仕入れのためにたまに長期間のお休みを取ることは、商会主にとってはそうおかしなことじゃないらしい。

わざわざ店持ちで忙しい恭ちゃんに調査を頼んだのは、私は『いくら変装できるとはいえ、安全のため、日中に王都をうろつくのは少し控えなさい』ってレイコに言われたから。

そのレイコ自身は、仕入れのためお出掛け中。

遠距離だと小型艇が使える恭ちゃんの方が速いけれど、そんなに遠くないところを複数廻るなら、魔法（おそらく、科学的手段による）が使えるレイコの方が速いんだよね。

恭ちゃんだと、離着陸は夜間のみだとか、街から少し離れたところでないと駄目だとか、色々あるし、恭ちゃんは今まで仕入れのための地方廻りはしていないから交渉には不慣れだとか、そのあたりのこともあるしね。

「お疲れ～！」

レイコの光学迷彩魔法とか、恭ちゃんが母艦の艦内工場で作らせたスパイグッズとかを使えば、証拠固めなんか簡単なお仕事だ。

それも、他者を納得させる必要はなく、私達３人だけが納得できればそれで充分だという場合には、特に。

……そう。今回は、別に官憲に突き出すための証拠が欲しかったわけじゃない。

こんな方法で手に入れた証拠で訴え出ても、『どうやってそんなものを手に入れたのだ？』と突っ込まれたら困る。

だから、ただ私達が誤射、誤爆をしないように、黒幕を確定できればそれで良かったんだ。

いくら怪しくても、実は真犯人は別にいた、なんてのは、よくあることだからね。

……今回はそんなことはなく、本命そのままの鉄板レースだったけどね。

「拠点も確保したよ！」

「了解！　ご苦労さん」

恭ちゃんは、作戦会議の決定に従って、王都に物件を確保してきてくれた。

王都で色々と暗躍するのに、やはり宿屋ではやりづらい。

私達3人は王都、恭ちゃんのお店、『リトルシルバー』、取引先の街、その他諸々を行ったり来たりするし、深夜に戻る時もあるし、宿の薄い壁じゃあ、作戦会議もできないからね。

なので、手頃な家を借りたのだ。

別にお店にするわけじゃないから、中心街からは少し離れた、夜間の出入りとかがあまり目立たない街外れ。

恭ちゃんが王都にお店を出す時には、もっと立地条件のいいところを確保する。今回押さえたところは、店を出した後も秘密基地としてそのまま維持する予定だ。

まあ、それはまだまだ先の話だ。

今は、まず……。

「じゃ、クルト商会を叩こうか！」

うん、恭ちゃんのお店にちょっかいを出しただけなら、少し懲らしめるだけでよかったんだ。

でも、チンピラやゴロツキを使ってターヴォラス商会王都支店の従業員を襲わせた時点で、連中は『汚い手を使う商人』から、『凶悪犯罪の黒幕』にレベルアップした。

僅かな数の商品の窃盗や裏切り行為とかは、充分反省させ、後悔させれば、まあそれでいい。

……でも、凶悪犯罪者、てめーは駄目だ!!

しかも、おそらく、というか、ほぼ確実に、また、や、る、というのが確定しているし。

向こうがいくら汚い手を使おうが、『商人らしいやり方』で来る限り、こっちも同じように『商人らしい、汚い手』でやり返すつもりだったんだ。

でも、向こうが『商人縛り』というルールから逸脱して『暴力』という手段を使うなら、こっちも逸脱しても構わない、ってわけだ。

そして使う手段は『暴力』ではなく、『魔力』と『科学力』なのである。うむうむ。

＊　　＊　　＊

「あ、恭子、戻ってたんだ……」

仕入れ廻りの旅に出ていたレイコが、戻ってきた。

まあ、『旅』と言っても、レイコの場合は各地を廻ってもほんの数日だけどね。

今日はみんなでのんびりして、……明日から行動開始かな。

＊　　＊　　＊

「ラバートはどうした?」

「はて……。休みは取っていないはずですから、お得意先廻りをしているか、倉庫で在庫確認をしているか、もしくは寝過ごして遅れているか……」

クルト商会の商会主にそう答えた大番頭であるが、番頭のひとりであるラバートはしっかり者である上、妻帯者である。寝坊して仕事に遅れるような者ではないし、そもそも、そういう者であれば番頭にはなれていない。

「そうか。後で私のところへ来るよう伝えておいてくれ」

別に叱責するつもりではなく、少し用があるだけである。

番頭にはある程度の自由裁量権を与えているので、いちいち報告せず自由に動いても問題はない。


……そして、翌日。

「おい、ラバートはどうしたのだ？」

まだ、自分のところへ顔を出さない。

ということは、昨日からずっと店にはいないということである。

「そ、それが……」

今日になっても姿が見えないため、さすがに怪訝に思った大番頭が手代に命じて自宅へ様子を見に行かせたところ、妻が言うには『2日前から、お店に泊まり込んでいるのでは……』と、驚いていたらしいのである。

繁忙期には店に泊まり込むことも珍しくはないため、別に疑問にも思わなかったとか……。

ということは、2日前の夕方に帰宅のため店を出てから、行方が分からないということに……。

「なっ！　すぐに警備隊に届けろ！　手空きの丁稚（でっち）や手代を聞き込みや捜索に向かわせろ、路地裏やイルマ沼も捜させろ！　それと、裏の方にも情報収集に行け！」

路地裏とイルマ沼は、犯罪者が死体を捨てる定番の場所である。

「はいっ！」

いくら番頭とはいえ、大番頭ではなく複数いる番頭のひとりに過ぎないというのに、血相を変えてそう叫ぶ商会主に、従業員達は感動していた。この商会主は、従業員のことを心配し、万一の時には色々と尽力してくださる方なのだ、と思って……。

その実、せっかくここまで育てた人材を失っては大損だという損得勘定での行動であったが、結果的には同じ行動となったわけなので、問題はなかった。

＊　　＊

「今朝から、ハイディルの姿が見えません……」

「何！」

結局、行方不明になった番頭ラバートは見つからず、不機嫌な顔をしていた商会主に、今度は手代のひとりがいないという報告が……。

手代は住み込みであるため、昨日の夕食から今日の朝食までの間にいなくなったということになる。

夕食の後に、飲みにでも行ったか、恋人との逢瀬にでも出掛けたのか……。

そしてそれから連日、報告が続いた。

「ロルトスが来ていません。昨夜から家にも帰っていないと……」

「サロウィンが、外回りに出たまま戻ってきません！」

「イルテスが……」

「いったい、どうなっておる！　どこかの商家の仕業か、裏の組織の脅しか何かか！

警備隊は何をしておる！　ええい、伯爵様のところへお願いに行くぞ、馬車の用意をしろ！　急げ!!」

そう言って、懇意にしている貴族のところへと向かう、商会主。

おそらく、警備隊に圧力を掛けるようにお願いするのであろう。

……商会主はまだ、自分が何を敵に回してしまったのかに気付いてはいなかった……。

＊　＊

「今、何人だっけ？」

「7人。大番頭と、手代ばかりね。丁稚は除外してるよ」

恭ちゃんの返事を聞くまでもなく、それは作戦会議で決められたことだ。

丁稚は一番序列が下の従業員であり、店の重要な仕事を任されることがないため、裏のことは何も知らないはずだ。だから、今回の作戦の対象外である。

「店にいる中堅以上の従業員は、かなり減っただろうね。アガサ・クリスティの……」

私の振りに、恭ちゃんがお約束の台詞を合わせてきた。

「「そして、だいぶいなくなった」」


拉致されたクルト商会の従業員達は、薬（ポーション）で眠らせて某所に運んだ後、変装した姿で訊問（じんもん）し、その後再び薬（ポーション）で眠らせてある。

眠らせておけば、騒がれることも逃げられることもなく、そして食事やトイレの世話をする必要もないから、楽ちんだ。

身体には悪影響がないよう、ちゃんとフォローしてある。

犯罪行為には関係がなかった真面目な者には、ポーションで持病を緩和してあげるという特別サービス付き。……まぁ、迷惑賃代わりだ。

従業員の、拉致と訊問。

これは、『連中がやろうとしていたこと』だ。

だから、私達が同じことをしても、文句は言えないだろう。

奴らが、訊問した後に拉致被害者達をそのまま解放するつもりだったのか、それとも口封じのためにそのまま行方不明になってもらうつもりだったのかは分からない。

……ま、多分口封じコースだろうけどね。

拉致監禁しておいて、身ぐるみ剝ぐだとか身代金の要求とかじゃなくて『ある商品の仕入れルートを聞き出した』なんて、あまりにもバレバレだ。

それに、そんな事件の直後に、とある商家が秘密にしていた仕入れルートに突然割り込んできたりすれば……。

……うん、口封じコース、確定だな。

クルト商会の商会主は、今自分達がやられていることは、自分達がやろうとしたことをそのまま、何倍にもしてやり返されているのだということに気付いているのかどうか……。

ま、たとえ気付いていたとしても、警備隊に向かって『これは、私達がやろうとしたことをやり返されているのです！　だから、犯人はおそらく……』なんて言えるはずがないか。

そもそも、連中はこっちの従業員が襲われたのは自分達の仕業だということはバレていないと思っているだろう。

王都では、ターヴォラス商会王都支店が扱う商品の仕入れルートに興味を持っている商家は多いだろうし、そもそも今回は拉致に失敗しているから、襲撃が情報を手に入れるためのものだとは分かるはずがないと考えるだろう。

……そう、ただのチンピラやゴロツキによるオヤジ狩りだと思われている、と考えるのが普通だろう。

まぁ、『オヤジ狩り』とか言っても、強盗致傷という凶悪犯罪であり、逮捕されたら人生が終わるわけだけど……。この世界でも、地球でもね。

万引きとかも、立派な窃盗罪だ。逃げる時に他のお客さんや店員を突き飛ばしたりすると、事後強盗罪になるし、それで怪我をさせたり、転んで打ち所が悪かったりすると、強盗致死傷罪だ。

そうなると、犯罪者には甘い日本ですら無期懲役や、死刑もあり得る。

軽い気持ちでの万引きのつもりが、逃げる時に店員に触れたら強盗致死傷罪（事後強盗罪）。

犯罪者が想像しているより、遥かに重い罪なんだよねぇ、地球だと……。

とにかく、まさか事件より前から自分達の商会が目を付けられていて、真っ先に容疑者扱いされるなんて、まぁ、普通は思わないか。

でも、そもそも海産物を大量に扱い始めたのは、クルト商会を狙い撃ちにするためだ。そこで襲撃を受けたなら、真っ先に疑うに決まってる。

連中は、恭ちゃんの店でのことは『地方の小さな街での出来事』、『クルト商会の支店ではなく、クルト商会とは何の関係もない、セイトス商店という小さな店がやったこと』として、既に終わったことだと考えているのだろうなぁ……。

だからそれを、ターヴォラス商会王都支店やホークス商会が海産物を売り始めたことと繫げて考えたりはしていないだろう。

そして、いくら証拠がなく、実行犯との繫がりも調べようがないだろうと思っていても、……まぁ、魔法と超科学力の前には、どうしようもないよねぇ……。

そういうわけで、規模は相手がやったのの数倍にしているけれど、後でちゃんと帰してあげるのだから、酷さではかなり緩めなのだ。甘々対応だなぁ……。

商会主の命令には逆らえないのは分かるけれど、だからといって甘い顔をするのは良くないんだけどなぁ。そんなの考慮していたら、盗賊を捕まえても『お頭の命令には逆らえなかった』と言われれば許すのか、って話だし。

まあ、臨機応変に対処するしかないか……。

＊　　＊

「どうなっておる！　いったい、どうなっておるのだ……」

勿論、警備隊への届けは出した。もう、何度も……。

そして、警備隊の上の方とか、懇意にしている法衣貴族とか、あちこちに対処をお願いして廻った。

……しかし、状況は一向に変わらない。

「とにかく、従業員全員に、夜間ひとりで出歩かないよう厳命しろ！　番頭達も、店に泊まり込ませろ！」

一見、従業員のための言葉のようではあるが、その実、せっかく使えるように教育した中堅の従業員を失ったり、店の営業に支障が出たりするのを嫌がっただけである。そして……。

（泊まり込ませれば、朝早くから夜遅くまで働かせることができるしな……）

商人としては立派、そして人間としてはかなりアレであった……。

「とりあえず、続きは明日だ。儂はもう帰る。ここ数日、あまり眠れておらんからな……。後のことは任せる。頼んだぞ！」

「はい、お任せください！」

商会主は、この店に住んでいるわけではなかった。

店の奥に住居を構えると、閉店後の遅い時間や休養日とかに押し掛ける貴族の使いやら何やらの相手をしなければならないため、それを嫌がり、少し離れたところに妻子と一緒に住んでいるのである。

勿論、家の離れには護衛が詰めている。

それに、店に住んでいなければ、もし万一店が押し込み盗賊に襲われても、従業員の命と金銭的な被害はあっても、自分と家族は無事である。

そして本来であれば商会主一家が住むはずである店内の居住区を与えられ、自分の家族と共にそこに住むことになった大番頭は、その破格の待遇にいたく感激し、商会主への忠誠の念を新たにしたのであった……。

＊　＊

(くそっ！　なぜ、うちの従業員が次々と……。

うちの店が怨みを買うようなことなど、……多過ぎて、どれが原因かなど、見当もつかんわいっ！

……いや、しかし、それでもこんなあからさまな実力行使に出る者など……。バレれば全てを失うという危険を冒してまで、こんなに執拗に……。

そもそも、やるのであれば最初の２～３人までで充分であろう！　皆、拷問に耐えられるような者達ではないし、喋られて困るようなことは教えていない。少々阿漕なやり口はともかく、本当にマズいことは、全て儂と大番頭が直接裏の連中との繋ぎ役に連絡しておるからな……)

そんなことを考えながら、愛する妻と可愛い子供達が待つ我が家へと向かうクルト商会の商会主であるが……。

「う……」

突然身体が痺れ、硬直。

「あ……、う……っ……」

声を出すこともできず、そのまま意識を失った。

＊　＊

「う……、こ、ここは……」

商会主が目覚めると、そこは見たことのない場所であった。

いや、どこかの建物の中の一室であることは分かるが、その内装や調度品が、今まで目にしたことのないものだったのである。

真っ白で、継ぎ目が見当たらない、つるつるしていそうな感じの壁と天井。

部屋の大半を占める、用途が分からないたくさんの機械類。

そして自分が寝かされている、身体を包み込むような感じの不思議な椅子（バケットシート）。

縛られているわけではないが、なぜか手足が動かせない。

首から上は動き、喋ることも眼を動かすこともできるのであるが……。

そして頭部を動かさなくとも、室内の、自分が寝かされている不思議な椅子（バケットシート）より高い部分は概ね視野に入っている。

その視野の左端ぎりぎりで動いているものの正体を確認すべく、頭を左に傾けると、その物体の正体が判明した。

白く薄い、ひらひらした衣服を纏い、背中に純白の翼を付け、頭の上にはぴかぴかと光が明滅する輪(リング)っかを浮かべた、ふわふわした感じの優しそうな少女。

その少女が、両手を羽ばたくように動かしながら、踊っていた。

……変装して顔を変えた、恭子である。

「……天使様？　てっ、天国なのか、ここは？」

突然死ならば、仕方ない。人間には、天が定めた寿命というものがある。

しかし、色々と悪事に手を染めたというのに、天国に来ることができたということは、何たる僥(ぎょう)倖(こう)であることか！

そう思い、死の悲しみではなく、己の幸運に喜ぶ商会主。

「目が覚(さ)めたようね」

そして、凶悪な目付きをした少女が、死角となっていた自分の頭上方向からいきなり顔を覗き込んできた。

変装したカオルであるが、尋問時の威圧効果を考慮して、目元だけは元のままにしてある。

「……くっ、やはり地獄だったか!!」

「じゃかましいわっ!!」

カオル、激おこであった……。

＊　＊

「……では、ここはまだあの世ではないと？」

あれから、目付きが悪い方も頭上の輪っか(リング)と背中の翼を見せつけたため、ここが地獄だというわけではないことを何とか納得した商会主。

身体は動かないままであるため、不思議な椅子(バケットシート)に横たわったままでそう確認の質問をした。

時々逆上して暴れる者がいるから神力で動けないようにしているだけだと言われ、後で動けるようにすると説明されているため、落ち着いているようであった。

確かに、動けないならば話をするしかないため、妥当な処置なのであろう。

「はい。ここは地上世界でも天国でも地獄でもない、それら全ての上に存在する、私達が世界を見守っている場所です……」

そのカオルの言葉は、嘘ではなかった。

「ここから見える、地上世界です。どうぞ、御覧ください」

そして、やや上半身を起こされた形になり、不思議な椅子(バケットシート)に横たわったまま見える壁面スクリーンに映った、黒い背景の中に浮かぶ青い球体。

「こ、これは？」

商会主の問いに答えることなく、カオルの指示で何やら操作する恭子。

そして、スクリーンの中の球体がどんどん拡大されてゆく。

スクリーンいっぱいに球体が広がり、更に大きくなり、どんどん拡大が続き……。

「……海？　陸地？　ま、まさか……」

そして大陸がはっきりと見え、海岸線が露わとなり、その形が……。

「ばっ、ばかな！　こっ、これは、この大陸の……、我が国の……」

そしてとある都市が見え、それが段々と大きくなり……。

「おっ、王宮……、こっ、この王都が……。

……せ、世界が丸い？　この大陸が、あんなにちっぽけで……、人間が、虫よりも、アリよりもちっぽけな……」

商会主は、先程まで自分が王都にいると思っていたが、ここは、その遥か上空であった。

カオルの、『ここは地上世界でも天国でも地獄でもない、それら全ての上に存在する場所』という言葉は、決して嘘ではなかった。

……ここは宇宙空間。衛星軌道上の、恭子の母艦の艦橋であった……。

＊　＊

商会主は、何の隠し事をすることもなく、ぺらぺらと喋った。

……女神が実在する世界でこんなものを見せられて、御使い様を信じひれ伏さない者などいない。たとえどんな悪人であろうとも……。

金のため数人を殺すことは厭わない者であっても、自分のせいで大陸ひとつが沈み、数千万の人々や多くの動植物が全滅するということに平然と耐えられる者は少ない。

また、女神がそういうことをする原因となった者が、楽に死なせてもらえるはずがなかった。

死ねない身体にされて、永遠に続く責め苦を……。

そんな目に遭うくらいならば、死んだ方がマシである。

……いや、死ねないから続く苦痛なのに、死んだ方がマシなどと言っても、当たり前過ぎて笑えない。

とにかく、この世界では女神やその御使い、眷属達を怒らせるどころか、ほんの僅かな不快感すら与えないよう、細心の注意を払うのが当たり前であり、もし御機嫌を損ねるようなことがあれば、その場で自害して謝罪し、大陸が滅びる確率を1パーセントでも下げるよう努めるのが、人間として、いや、この大陸に住む生き物としての義務であった。


その昔、ひとりの超絶英雄が、この大陸を滅ぼそうとした女神セレスティーヌを叱り、諫めたと言われているが、そのようなことが、ただの人間にできるはずがない。

もはや、儲けとか店の発展とか自分の栄達だとかいうような些事など、関係なかった。

この商会主も、いくら悪人ではあっても、さすがにこの大陸全ての生きとし生けるものを自分が死滅させるということには抵抗があったようである。

大半の者は、その遥か手前の段階、自分の家族や一族郎党が、という時点で陥落するであろう。

なので、必死で喋った。問われることに対し、嘘や誤魔化しなど考えもせずに……。

「なるほど、では、貧乏であった子供の頃に受けた仕打ちが忘れられず、お金以外は信じない、自分に敵対する者は全て叩き潰す、という主義に？」

「はい……」

（……困ったなぁ。何だか、『きれいなジャイアン』みたいになってきたぞ、コイツ……）

＊　＊

「どうする？」

「どうする、ったって……」

商会主は、『神々のお酒(ネクタル)を賜う』として渡したお酒(ポーション)を飲んで、至福の表情で眠りに就いている。

「従業員を7人も攫ったのに、みんな大したことを知らないみたいだから、仕方なく予定を変えて親玉を拉致したというのに……。

何だか、思っていた程の悪党じゃないんだよねぇ……。

そりゃ、今回の襲撃事件は悪いけど、うまく自分達の商会に疑いがかからないようにして情報を聞き出す算段があったそうで、攫った従業員は無傷で帰すつもりだったみたいだし……。

警備兵に怪我をさせたのは、想定外の邪魔が入って焦ったチンピラの暴走だって話だし。

警備兵は、非番で私服だったから、粋がった若造が連れの女の前でいい格好をしたがっているだけだと思い、脅して追い払おうとしたら本気で向かってきて、『不幸な事故』になっちゃっただけみたいだしね。

だから、無関係の者に思わぬ怪我をさせちゃって、『相手に怪我をさせない。腹を数発殴るとか、拘束する時に手を捻るとかは可』という契約条項違反になってしまい、そういう時の取り決めの通りに、作戦を中止して慌てて撤収した、ってことらしいけど、それ、結構信用できる説明なんだよねぇ。

本気で拉致するつもりなら、腕の1本も折って無理矢理連れ去るだろうからね、普通。

邪魔する若造の片腕を潰したなら、ひ弱な商人をボコって連れ去るくらい、大した手間じゃなかっただろうから……。

それに、私達（みつかいさま）に対するあの様子から見て、とても嘘を吐いているとは思えないんだよねぇ」

「……確かに……」

恭子も、同意の言葉を口にするのであった……。

第七十四章　きれいな商会主

「……というわけなのよ……」

「…………」

あれから、眠ったままの商会主を連れて、搭載艇で本拠地(リトルシルバー)へと戻ってきた。

拉致した他の従業員達は、母艦に連れていったりはせず、ここの地下で尋問してから、ポーションで眠らせてある。商会主も、そこへ一緒に転がしておいた。

勿論(もちろん)、全員、ここへは眠らせたまま連れてきたから、ここがどこだか知っている者はいない。気を失って、目覚めたらどこかの建物の中、としか認識していないから、帰す時にも同じようにすれば、場所がバレる心配はない。

そして、『リトルシルバー』で子供達の面倒を見ながら留守番をしてくれていたレイコに、母艦での商会主の取り調べ状況について説明しているわけだけど……。

「……それで、方針を変更したいと？」

「うん……。何か、卑怯(ひきょう)なことは色々とやってたらしいんだけど、明らかな不法行為、っていうのは、あんまりやってないみたいなんだよね。大抵は、あくどい、っていう程度で……。

今回のは、商会の存続に関わる大事件だったから、余裕がなくて色々とやらかしちゃったらしくて……。

つまり、私達が追い込んじゃったから、店を守るために一線を越えちゃった、ってことらしくてさ」

「私達にも責任がある、ってこと？」

「うん……」

「自分が必死の思いで一代で築き上げた店が、何者かの陰謀で潰されそうになったら、そりゃ逆上して、犯人を突き止めたり損害を食い止めたりするために多少の違法行為をやっちゃうのは無理もないよね……」

私と一緒に、『きれいになった商会主』の告白を聞いていた恭ちゃんからも、擁護の言葉が出た。

「…………」

レイコは、割とクールだ。

いつも冷静で、私や恭ちゃんのようには情に流されない。なので、悪党をそう簡単に許したり、見逃したりはしない。『罪を憎んで人を憎まず……』にいられるわけがないだろうが！　やったヤツが悪いに決まってる!!』というのが、レイコの主義なのだ。

信賞必罰。因果応報。悪党に人権はない。殺(や)られる前に殺れ。

それが私達ＫＫＲのモットーなんだけど、それを一番厳格に適用し、遂行するのがレイコなのだ。

私と恭ちゃんは、火種だとか燃料投下役だとか言われるけれど、割と人情派だ。でもレイコは、……勿論、温厚で心優しいところもあるんだけど……、まぁ、いわゆる『ルールを恣意的に運用したりはしない』タイプだ。

罰は、誰が罪を犯した場合であっても、公平に与える。

情状酌量の余地があった場合には、その他のことでフォローすることはあるが、あくまでも処罰は公平でなければならない。

それが、レイコの信念なんだよなぁ……。

「……分かった。計画を練り直そう」

「え？」

「いいの？」

驚きだ。レイコが、一度決めた『天罰作戦』を、障害の回避以外のことで変更するのを容認するなんて……。

「ふたりが、状況の変化に鑑みて、考えを改めたんでしょ。なら、私だって最新の情報に対応して考えを変えるわよ。別に、最初に決めたことは絶対に変えちゃ駄目、ってわけじゃないんだから……。

で、その『きれいになった商会主』だけど、使えそうなの？」

そう。問題は、そこだ。

でも、勿論、そこはちゃんと確認してある。

だから、私と恭ちゃんの返事は……。

「「うん！」」

口先だけで反省した振りをして、性根は変わらない悪党は、今後まともな人達が被害を受けないように処置しなきゃならない。

でも、完全に改心（きれいになった）したなら、償いをさせた方がいいんじゃないかと思うのだ。

勿論、犯罪者には、それなりの刑罰を与えなきゃならない。

……でも、あの商会主は、正式には『犯罪者』じゃないんだよねぇ……。

厳密には、法に触れることをやってはいる。

でも、訴訟されたり、刑罰を言い渡されたりはしていないから、ここのルールだと、別に罪に問われてはいないんだよなぁ……。

だから、今の商会主を私達が勝手に処罰すれば、それは『私的制裁』になっちゃう。

……つまり、私達（こっち）が悪党、ってわけだ。

いや、それは別に構わない。

元々私達は、ここの法ではなく、自分達の法に従って行動している。

勿論、ここの法も、問題ないものは守る。まっとうに生きている人には迷惑を掛けないようにね。

……でも、悪党に手出しされた場合は、ここの法律（ルール）なんか気にしない。

いや、さすがに堂々とやったら、こっちが捕まる。

しかし、バレなければ、どうということはない！

そういうわけで、ここの法ではなく、私達の法によって動いている部分は、変更することが可能なのだ。

……レイコが認めてくれた場合には。

そして今、その『お許し』が出たわけだ。

「お金、ある。商人としての伝手（つて）、ある。官憲や貴族へのコネ、ある。御使い様（わたしたち）への忠誠心、MAX」

「目的のためならば、多少のあくどいことは平気でやれる。でも、無意味な加害行為はしないし、一応は『あくどい商人』という範疇（はんちゅう）に留まっている。

契約書に誤解を生みそうな記述を仕込むことはあっても、後で書き換えるとか、脅迫して無理矢理サインさせるとかいうことはしない。理不尽な暴力行為は、自衛のためにやむなく行った、今回が初めて」

私達の説明に、レイコは……。

「う～ん、それなら、ただ商会を潰して大勢の失職者を出したり、取引先が連鎖倒産したりするよりは、今までに迷惑を掛けた相手にお金で償わせた方がいいかしらね……。

商会を潰しても、被害者達には銅貨1枚の得にもならないんだから……」

うん、全く、その通りだ。

これ以上被害者が出ないなら、その方がずっといいだろう。

あの商会主は、別に強盗や殺人に手を染めたわけじゃない。

こういう世界には、そういうことをやる、『あくどい』ではなく、本当の『悪党』である連中がたくさんいる。そういうのに較べれば、ずっとマシだ。

「じゃあ、計画を練り直すわよ」

「「おおっ‼」」

＊　　＊

「うう……、ここは……？」

攫われていた番頭のひとりが、眼を覚ました。

「確か、拉致されて、尋問を……、って、お前達！」

攫われてから、尋問……拷問ではなく、あくまでも口頭による質問のみ……をしてきた少女以外の者には会っていなかったが、今、周囲には同僚達の姿があった。自分より先に攫われた者達、そして自分より後に攫われたらしき者達の姿が。

そして、その全員が、頭を振ったり、眼をこすったりしている。

どうやら、不自然にも、皆、ほぼ同時に眼を覚ましたようである。

そして……。

「落ち着け！　大丈夫だ、お前達は既に救出されている！」

「「「「「旦那様!!」」」」」

そう、そこにあるのは、クルト商会商会主の姿であった。

「ど、どうして、旦那様が、ここに……」

そして、その疑問は、尤(もっと)もであった。

「お前達が次々と攫われるものだから、儂(わし)が囮(おとり)としてひとりで夜道を歩き、わざと誘拐されたのだ。

そして敵の隠れ家に連れて行かれた後、隠し持っていた暗器で縛られていたロープを切り、敵を倒してお前達を救出した。

ここは店の居住区の一室だ」

「「「「「おお！　おおおおおお!!」」」」」

「何、儂も若い頃は色々と苦労したのだ。身を守るための護身術や、大切な者達を守るための戦い方くらい身に付けておるわ！」

いくらでも替えが利く、ただの従業員のために命を張ってくれる商会主。

そんな者が、世界に、いったい何人いるというのか。

愕然(がくぜん)とし、そして両眼から涙を流す従業員達。

「だ、旦那様……」

「ばんざ～い！　旦那様、ばんざ～い！」

「クルト商会、ばんざ～い！」

「「「「「ばんざ〜い！　ばんざ〜〜い!!」」」」」

そして、商会主を讃（たた）える声が続いた。

その声に、どうやら皆が目覚めたらしいと気付き、使用人達が弱った身体に優しいもの、パン粥（がゆ）や薄めたホットワイン等を運んできた。

事前に状況を教えられていた使用人達も、商会主を称賛の眼で見ている。

（……いくら御使（みつか）い様の御指示とはいえ、これはキツい！　恥ずかしさで、死にそうだ!!）

そして、そんな眼で見られたのは生まれて初めてである商会主は、心の中でのたうち回っていた。

＊　　＊

「うまくやってるかしらね？」

「いや、仮にも大店（おおだな）の商会主だよ？　口が上手くて、役者に決まってるじゃん。あの、『役者やのう……』っていうヤツ……」

「それもそうか……」

あの後、クルト商会の商会主を別の部屋へ移してから眼を覚まさせて、色々と仕込みをしたのだ。

……いや、怪しい薬（ポーション）を使ったり洗脳したりしたわけではなく、『御使い様による、女神様からの託宣』があっただけである。

ま、そういうわけで、私達による7人の従業員プラス商会主の拉致事件はうやむやのうちに『なかったこと』になった。

うん、商会主に、『相手の正体は不明だけど、犯人達はみんな死んだ。下手に表沙汰になるとうちの名に傷が付くかもしれないし、さすがに向こうの雇い主も、もう手出ししようとは思わないだろう』と従業員達に説明するよう言ったからね。

商会主が直々に助けてくれたとなれば、その指示に反対する者はいないだろう。

あとは、ターヴォラス商会の王都支店とホークス商会に流している商品のうち、海産物を減らしてクルト商会のダメージを軽減すれば、一応は元通りだ。

クルト商会の傀儡（かいらい）商店が恭ちゃんのお店にやってくれたこと、そしてターヴォラス商会王都支店の従業員や、彼を守ろうとしてくれた警備兵にやってくれたことに対する処罰は、……うん、まあ、その報いとして、今後私達の役に立ってもらうことと、明らかに相手には非がなかったのに大損をさせた取引先には賠償する、ってことで、今までの償いをさせることにした。

……いや、何でもかんでも、全部賠償させるというわけじゃない。相手に全く非がなく、そして賠償金を支払うべき相手として、本人かその妻子がいる場合のみだ。

でないとクルト商会が潰れちゃうし、被害者の従姉妹とか叔父とか、そんな関係のないヤツにお金を渡す必要はないだろう。

つまり、いくら高金利であろうが、それを承知でお金を借りたとか、いくら酷い条件であろうが、ちゃんと契約書に書いてあったとかいう場合は、アレだ。『汝ら罪なし(YE NOT GUILTY)』ってヤツ……。

こうして、今回の件は予想外の結末を迎え、大事(おおごと)になることなく、無事一件落着となったのであった。

私達に、使えそうな手駒を確保させて……。

「んなワケないでしょ！　まだ、警備隊方面がどうなるか分かんないじゃないの！」

「あ……」

レイコから、鋭い指摘が。

まあ、そっちは、状況が判明するのを待つしかないか。

＊　　＊

そして私達は、通常業務(ルーティン・ワーク)に戻った。

恭ちゃんが王都で確保した賃貸家屋はそのままで、私達の誰かが商品の納入とか王都の様子確認とか買い物とかで来た時に使うことにした。本格的に使うのは、恭ちゃんの店が王都に移転してからだと思うけど……。

そして不在の間に浮浪児達に住み着かれたり、チンピラ達の根城にされたりしちゃ困るから、不動産屋に時々確認するようお願いしておいた。

……勿論、その分のお金を請求されたよ。

まあ、こういうのはちゃんと料金が発生した方が、責任の所在がはっきりするからいいんだよね。

無料サービスとかだと、どうしても義務感が薄れちゃうから、揉め事の元になる。

義務と責任を求めるなら、きちんと、お金と契約で縛らなきゃね。

あ、支店長から『あの時の警備隊の上官の人が来て、巫女(みこ)様のことを聞いてきた』っていう連絡が来たけれど、支店長は、荷を運ぶ輸送隊の責任者の知り合いとしか知らない、と言って、追い払ってくれたらしい。

もう今回の輸送を請け負っただけの輸送隊の者達との接点もない。雇ったのは発送側であって自分達じゃないから、自分は何も知らない、と言って。

野良巫女(わたし)が支店長達とはあの時が初対面だったということは、私達の様子から上官にも分かっただろうし……。

上官が自分の意思で来たのか、それとも誰かに指示されて来たのかは分からないけれど、こちら方面の調査ルートは、支店長の段階で途切れるだろう。

……よし、問題なし！

＊　＊

「お前が、神殿に所属していない、フリーの巫女とやらだな？　俺達についてきてもらおう！」

とある町の孤児院の庭で、子供達に囲まれながら大鍋で芋煮のようなものを煮込んでいると、突然現れた４人の兵士らしき者達に絡まれた。

どうせ否定しても信じないだろうし、孤児院の人達や子供達にもそう名乗っているから、ごまかしようもない。

この連中が、神殿とは関係ない巫女が名を上げることを嫌がった神殿上層部の手の者か、それとも民衆の人気取りを狙った貴族か大店が私を囲い込もうとして出した遣いの者か。

……どちらにしても、言葉遣いと態度から、エディス（わたし）を敬うとか、丁重に扱うとかいう気はないようだ。

素直に付いていっても碌（ろく）なことにはならないだろうけど、今はマズい。

ここで騒ぎになると、孤児院に迷惑がかかるかもしれないから。

なので、とりあえずここを離れてから、かな。

でも、その前に……。

「あの、何か私に御用のようですけど、子供達に食事させるまで待っていただけませんか？

この子達にとっては、滅多にない『お腹いっぱい食べられる機会』なのです。僅かな時間を待つことを厭（いと）い、その機会を台無しにするというのは、人間として、ちょっと……」

そして、泣きそうな眼で兵士達を見詰める、たくさんのつぶらな瞳……。

「うっ……。

し、仕方ない、早くしろ！」

うん、さすがに、この視線に耐えられる勇者はいないわな……。

それに、隣街への移動に数時間、とかいうのが普通のこの世界じゃ、1時間や2時間遅れるくらい、どうってことのない、誤差の内だろう。

少なくとも、孤児達がお腹いっぱい食べられるという千載一遇の機会(チャンス)を潰してまで優先させるほどのことじゃない。……鬼でなければ。

そしてこの兵士達は、私にはぞんざいな態度ではあるが、孤児達を邪険にするつもりはないようであった。

……うん、下っ端(したっぱ)兵士なんて、いつ自分の子供が孤児になるか分からないからねぇ。そりゃ、孤児を邪険に扱う者はあまりいないだろう。

「いや、早くと言われても……。私の意志で、煮える速度を速めるわけにも……」

「うるさい！　さっさとやれ!!」

ありゃ、ちょっと怒らせたか。

ま、確かに、余計な揚げ足取りだったか……。

さて、この連中を寄越したのが誰で、何が目的かは、後で聞けばいいとして。

……どうして私が捕捉されたか？

そりゃまぁ、このあたりで怪我人や病人をほんの少し治癒したり、孤児院で食べ物を寄付して廻(まわ)ったりしているのだから、『エディス(わたし)』の存在を知り、接触を企むならば、私が現れた場所を地図にプロットしていけば、次に私が現れる場所を推測するのは容易だろう。別に欺瞞工作などをすることなく、順番に移動しながらやっているわけだから……。

時々大きく時間間隔が開くが、それは王都とか『リトルシルバー』とかに滞在している時だ。

エディス的には、施しのための資金稼ぎをしているとか、巫女としての修行をしている期間、ということにしている。

つまり、私を捕捉しようと思った者は、簡単に捕捉できるというわけだ。

……当たり前だ。そのように設定したのだから……。

そう、充分にエディスの名が広まり、王都まで届いて、頃合いになったら迎えが来る、という寸法だ。『野良巫女エディス』が、『聖女エディス』になるための、ステップアップのイベントとして……。

但し、それはあくまでも『広く名を売り、もし万一『リトルシルバー』が貴族や大店にちょっかいを出された時に介入できるだけの影響力のある人物になるため』であって、どこかの特定の勢力に取り込まれ、囲われるためじゃない。

なので……。

「お鍋、まだ？」

「……あ、そろそろいいかな……」

いかんいかん、今は飢えた獣達を最優先にしなきゃ……。

＊　＊

「「「「「おねーちゃん、ありがと～!!」」」」」

子供達と、心配そうな顔の大人達に見送られて、兵士達と共に孤児院を後にした。

勿論、笑顔で、ぶんぶんと手を振りながら……。

兵士達は、馬車どころか、馬も用意していなかった。

……ということは、ずっと歩きである。

いや、私の足に合わせると、遅いよ？　頑張っても、普通の成人男性のおよそ3分の2の速度だよ？　休憩も、たくさん必要だよ？

まあ、この連中は下っ端だろうし、私を捜しに来たのはこの連中だけでなく、他にも何組かいるのかもしれない。その全てに馬車や馬を用意するのは、お金がかかるだろうからねぇ。

宿も、厩があって馬の世話ができるところじゃないと駄目だし、馬体の手入れや餌代とかも、無料じゃないんだから……。

この連中は、兵士っぽい恰好をしている。

……でも、国の兵士かどうかは分からないよねぇ。

貴族の領軍、大店が抱えている私兵、金回りが良くてお揃いの防具を着けている傭兵やハンター、その他諸々。

孤児院で余計なことを聞くのはマズいと思って何も聞かなかったけど、そろそろいいか。

黙ったまま何時間も歩き続けるのは精神衛生上良くないし、さっさと情報を手に入れないと、こっちの方針が決められない。

よし！

両手の拳を軽く握って、口の前に持ってきて……。

「おじさま達、どなたからのお遣いの方なのですか？」

きゃるんっ、という効果音が聞こえそうな笑顔で……。

……で、どうしてドン引きしたような顔で後退（あとずさ）るんだよ！

今はエディスの姿で、眼も可愛らしく垂れ目にしてるだろうが、ええっ!!

第七十五章　貴族からの接触

目付きは変えてある。

なのに、どうしてドン引きなんだよ！

「う、うるさい！　黙って、さっさと歩け!!」

「…………」

人が、せっかく友好的に振る舞おうとしていたのに……。

ムカついたから、もう猫を被るのはやめだ！

……どうせ、今回はハズレだし。

「どいつの手下かって聞いてんだよ、ゴルァ！」

「ガラが悪いな！　やはり、所詮は下賤（げせん）の者か……」

「うるさいわ！　お前達の雇い主に会ったら、協力するつもりだったけど兵士に無礼な扱いをされたからやめる、女神様もお怒りである、って伝えるぞ！」

「「「「えええええっ!!」」」」

いや、何、驚いてるんだ？　遣いの者が相手を怒らせて交渉決裂、取引中止、って、当たり前のことだろうが。自分達の立場を、いったい何だと思ってたんだ？　自分が所属する組織の名を背負っての、相手方との交渉役だぞ？

「ま、待て！　そんなことをされたら、我々の立場が……」

「知るか！　それを承知で、無礼な態度を取ったんだろうが！

自分達が誰を迎えに来たのか、そしてその者が自分達の雇い主にとってどれだけの発言力、影響力を持っているかも知らずに、馬鹿にして偉そうな態度を取ったわけじゃないだろうな、ええ？」

「「「………………」」」

ま、コイツらの雇い主が、私を対等とは言わないまでもせめて丁重に、招待客として扱うつもりがあるならば、話くらいは聞いてやってもいいと思っていたんだ。囲われるつもりはないけれど、友好的な有力者は、いても困るわけじゃないからね。

……というか、その『友好的な有力者』をつくるための、エディスの存在なのだから……。

でも、私を連れて来させるために派遣したこの連中に、私に対してはこのような扱いで構わないと思わせるような指示の仕方をしたということは、……うん、ま、そういうことだろう。

だから、今回はハズレ、というわけだ。

「じゃ、さよなら！」

「「「…………」」」

そして、私は連中を後にして、次なる村へと……。

「……待て！　待て待て待て待て待て!!」

行かせてもらえなかった。

「お前を連れて戻らないと、俺達が大変なことになるだろうが！」

そりゃそうだ。

「でも、無理矢理連れていっても、雇い主にさっき言った通りに説明して、誘拐犯の話を聞くつもりはない、誘拐されたと王都の然るべき筋へ届け出る、と言えば……」

「「「やめろおおぉォ〜〜!!」」」

まぁ、困るわなぁ……。

「ど、どうすれば……」

「このまま立ち去らせて、俺達も発見できなかったってことにすれば……」

「「それだ!!」」

男達の中のひとりの発案に、他の３人のうちのふたりは賛成したが、残るひとりが……。

「そうやって、もし後で他のチームが発見して接触したり、他の貴族家に囲われたりした後でそれが露見すれば、どうなるか分かっているのか？」

「「「…………」」」

まぁ、虚偽の報告であり、裏切り行為だよねぇ。

自分のものになるはずだったモノのあまりの大きさに、雇い主が逆上して手討ちにされてもおかしくない。

「……ならば、そうなる可能性がなくなれば良いのではないか？　たとえば、この娘がなぜかポックリと死んでしまった、とか……」

「「「なるほど!!」」」

「『なるほど』じゃねーよ！」

何を言い出すかと思えば……。

よし、私の身の安全のため、その目を潰しておこう。

前方には、私達とは反対方向へと進んでいる、……つまり接近しつつある商人の荷馬車が3台。

荷馬車の前後を、徒歩の護衛が固めている。

後方には、私達と同じ方向へと進むハンターパーティらしき徒歩の5人連れ。年齢は30歳前後で、堅実な中堅ハンター、というような感じだ。私の足が遅いから、少し離れていたのが、かなり接近してきている。

街道を移動している他の者達は、かなり離れているから対象外だ。

……よし、観客としては、充分だな。

息を吸って、お腹の底から大きな声で……。

「ええっ！　自分達の不始末を隠すため、雇い主に命じられて迎えに来た対象である私を殺して、隠蔽されるお積もりなのですか！　聖職者である、巫女(みこ)の私を殺して、雇い主には都合の良い虚偽の報告をされると？」

ぎょっとした顔のハンターや御者が、私達を凝視した。

……そして、焦る兵士達。

「……これで、もし私の身に何かあった場合、雇い主さんが少し調査すればすぐに真実がバレますよねぇ」

「「「鬼か!!」」」

いや、どっちがだよ！

「私を殺す相談をしている奴らに言われたくはないよ!!」

うん、前方の商隊は停止したし、後方のハンター達は駆け寄ってきたから、喋(しゃべ)り方は普通に戻した。

そして、私達のところへ駆けてきたハンターの人達が声を掛けてきた。

「ちょっと待て！　……お嬢ちゃん、『さすらいの野良巫女、聖女エディス様』か？」

おお、かなり名が売れてきているぞ！

「……聖女などと自称したことはありませんが、野良巫女をやっているエディスは、私ですが……」

うん、『聖女』なんて自称すれば、神殿からクレームをつけられるかもしれないからね。

それは、自称ではなく、あくまでも人々が勝手に呼ぶ称号だ。

「お前達、聖女様をどうするつもりだ！」

今度は、兵士達に向かってそう怒鳴りつけた、ハンター。

「聖女様は、俺達の弟分であるパーティの者をお助けくださった。良からぬ了見を起こしているようなら、ただでは置かないぞ！」

「そうだそうだ！」

ありゃ、商隊の護衛の人達もやってきたぞ。

「野良巫女様といえば、あちこちの孤児院で炊き出しをしたり、食材を寄贈したりしてくれているそうじゃねぇか。孤児院出の俺達としちゃあ、見逃せないな！」

あ〜、確かにハンターは、孤児院出や浮浪児上がりの者達の就職先、ベスト３に入るよなぁ……。

「聖女様、今、どういう状況ですか？」

う〜ん、ま、正直に答えるか……。

「この先の孤児院で炊き出しをやってると、この人達が来て、有無を言わせず連行。

誰の指示なのかは、一切黙秘。そして今、私をぞんざいに扱って怒らせたことを雇い主に喋られると困るからと、私を殺して『無かったコト』にしようと相談しているところ」

「「「「「なっ……」」」」」

あ、ハンターの皆さんの顔色が変わった。

まあ、さっきの私の大声は少し芝居がかっていたし、まさか天下の往来で、しかも本人の前で本当に殺人計画を相談する者がいるとは思わず、揉め事らしいがそう切迫したものではない、と思っていたのだろう。

しかし、所属を明らかにしない者達が少女を拉致し、しかも自分達の失策を糊塗するために殺害を企んでいるとなれば、冗談では済まされない。

そもそも、少女を拉致、という時点で、既にアウトである。

しかも、それが最近有名になってきた『聖女様』とあっては、取り込みや人気取りの道具にするのが目当てであればまだしも、下手をすると玩具や道具扱い、幽閉しての自分専属の治癒要員扱いとか、奴隷扱いとか……。

ありゃ、ハンターの何人かは、剣の柄に手を掛けてる。

槍士が穂先のカバーを外し、弓士が弓を手にして、矢筒から矢を1本、抜き出して……。

「……待て！　待て待て待て待て!!」

焦る、兵士達。

そりゃ、私達の後ろから来た5人のハンターと商隊の護衛6人を合わせると、合計11人。4人の兵士の、3倍近い。

そしてハンターは、訓練ばかりの兵士達とは違い、日々実戦だ。魔物相手とか、盗賊相手とかの。

おまけに、剣士ばかり4人の兵士に対して、ハンター側はその2倍近い剣士に、更に槍士もいれば、弓士もいる。

圧倒的な人数差。

そして、単一兵種対諸兵科連合。

……勝てるわけがない。

そこに、5人組の方のハンターから私に声が掛けられた。

「聖女様、俺達を護衛に雇わねぇですかい？　街までの護衛代金、銀貨1枚に負けときますぜ。今ここで契約して、ギルド支部には事後報告ということにすりゃ、手数料は取られますけど、何かあった場合にはギルドがケツ持ちしてくれやすから。

……どこかのチンケな下級貴族とか、大店（おおだな）の馬鹿息子とかが相手でも、キッチリと……」

「え……」

「旦那、契約書用の用紙と筆記具を貸してくれ。紙代は後で払うからよ」

5人組のハンターが、御者にそんなことを言い出した。

どうやら、雇い主の商人が御者をやっているらしい。経費節減のためかな……。

しかし、護衛ではなく5人組の方のハンターがそれを知っていたということは、知り合い同士か。

まぁ、同じ街に住んでいるなら、以前の護衛やら素材の売却やらでハンターと商人が顔見知りでも不思議はないか。

「勿論（もちろん）、喜んで提供させていただきますが、代金は要りません。正しき行いの手助けをするのに、お金を取る者がいますか！　そんなことをすれば、我が商会の恥となりますよ！」

……どうやら、私が護衛を雇うことは決定事項らしい……。

＊　　＊

あの後、急いで作られた契約書を商人さんに確認してもらい、不備がないことを保証してくれたので、５人組のハンターと護衛契約を結んだ。

依頼料、銀貨1枚。日本円にして、１０００円くらいだ。

正直言って、タダ同然。形ばかりの金額だけど、正式な契約にするためには無料というわけにはいかないから、一応依頼料が発生するという形にしてあるだけであって、実際にはハンター達のご厚意だ。

ありがたや……。

だけど、ここで大きな問題が発生する。

……私を拉致しようとした、４人の兵士達だ。

今はハンター側が圧倒的な優勢だからおとなしくしているけれど、反対方向へと進む商隊と別れれば、兵力差は5対4。しかも、私の足が遅いから、兵士側は先回りしての待ち伏せや奇襲ができる。

こっちはいつ襲われるか分からないため常に気を張っていなければならず、疲労が激しくなる。

それに対して、向こうはゆっくり休み、自分達に有利な時、有利な場所で奇襲できる。みんなが寝静まった深夜とか……。

しかし、かといって、まだ何もしていない兵士達を捕らえたり殺したりするわけにもいかないだろう。

うむむ、どうすれば……。

「では、あそこで馬車の向きを変えましょう」

え？

「少しお待ちください。すぐに方向転換しますので……」

えええええええ！

「そ、それって……」

「はい、勿論一緒に街へ戻りますよ。この連中がおかしな真似をしないように……」

「…………」

商人にとって、時間は、命とお金と積荷の次に大事なもののはず。

それを、見知らぬ少女のために費やすか……。

こりゃ、商売の方で、いつかお返ししなきゃなぁ……。

ありゃ？

兵士4人組の顔色が悪いぞ。

いや、ハンターと商隊の護衛達に囲まれた時点で焦った様子ではあったけれど、まだここまで顔色が悪くはなっていなかった。

なのに、商人さんの今の言葉で急に挙動不審になったということは……。

「ああっ！　てめーら、後で襲おうと考えてやがったなあああっ‼」

「「「「「…………」」」」」

私の言葉に、あからさまに動揺する兵士達と、無言で冷たい視線を兵士達に向けるハンターと商人さん。

……うん、獲物を発見したのに手ぶらで帰りました、じゃ、ただでは済まないよねぇ、雇い主さんからの処罰……。

この後、私が街で事後手続きのためにギルドに顔を出したり、買い物をしたり、宿に泊まったりすれば、私が今、ここにいたということは簡単に調べが付くだろう。

ならば、このあたりの担当であるこの連中が私を捕捉したということは、容易に推察できる。

それに、ギルドでの事後手続きで事情を説明するし、孤児院からも私が現れたということの情報が流れるだろうし。

いや、私が孤児院に施しをしたということは、別に秘密にしなきゃならないようなことじゃないからね。

それどころか、善行として広く知らしめてその行動を讃え、後に続く者が出るように宣伝するのが、孤児院としての正しい行動だ。

事実、そのおかげで、エディスの名が結構知られ始めているのだから。

そして、さすがにいくら何でも、口封じのために孤児院の子供達と運営の大人達全員を惨殺する、ということはできまい。もしそんなことをすれば、ここの領地の警備兵だけでなく、王都からも調査団が来るくらいの大事件だ。

……そしてそうなれば、この連中の縛り首だけで済むわけもなく、雇い主は一族郎党根絶やしとかになりそうだ。

つまり、この連中は、私をふん縛ってでも連れ帰るしかない、ってことだ。

私を怒らせたことで叱責はされても、今選べる選択肢の中では一番被害が少ないだろうからね、それが。

怒らせた責任を全てこの連中に押し付けて、そんなつもりはなかった、丁重にお連れするよう命令していた、と言い張れば、雇い主には私との関係を修復できる可能性はあるのだから……。

そしてその次が、『連れて戻る途中で、なぜか急に逃げ出そうとして、崖から転落』とかいうやつだ。

まあ、それならば、現場を誰にも見られなければ、他の目撃証言と矛盾することはないだろう。

……なぜ私が逃げようとしたかは謎だけど、それは自分達にも分からない、偽聖女であることが露見して処罰されるのを恐れたのでは、とでも説明するしかないだろうね。

それならば、たっぷりと叱られるだろうけれど、致命的とまではいかないかもしれない。

でも、まぁ、無事連れ帰った方がいいのは間違いない。

だから、商隊が充分離れ、私とハンター5人組だけになってから、隙を見て奇襲し、私を掻っ攫おうとでも考えていたのだろう。

ハンターはみんな男性だから、お花摘みとかで私がひとりで少し離れるとかいう場面もあり得るし……。

最低でも、私達を皆殺しにして、盗賊の仕業に見せかけるとかいう手もある。

この連中が、そこまでやる悪党ならば、だけどね。

しかし、そういう目論見も潰えたわけだ。まさかの、何の関係もない商人が、儲けがないどころか、かなりの損失を承知で来た方向へと引き返す、という行動を取ることによって……。

商人としては、失格。

でも、人間としては正しいその行動には、後でその報いを与えなきゃね。

＊　＊

そして、呆然と立ち尽くす4人の兵士を後に、私にとっては次の街、商隊にとっては出発してきた街へと向かった。

5人のハンターにとっては、出掛ける途中だったのか戻る途中だったのか、分からない。

護衛と5人のハンター達は歩きなので、私も歩こうとしたところ、馬車に乗るようにと言われた。

遠慮して、私も歩くと言ったところ……。

「歩いて街や村を巡っているのだから、歩けることは分かってる。でも、聖女様の速さに合わせていたら、移動時間が5割増しになっちまうんだよ。遠慮される方が、大迷惑なんだよ」

護衛の人から、本音を聞かされた。

「……理解しました。ごめんなさい……」

うん、そうだよねぇ。これ以上、迷惑は掛けられない。

だから、素直に御者台に座らせてもらった。先頭馬車の、この商隊の指揮官である商人さんが座っているところの隣に……。

あとの2台の御者は、雇われ御者らしい。


そして、進みながら色々と話を聞いたところ、今日は暗くなってきたら街道脇で夜営し、明日の昼過ぎに街に着く、とのこと。途中に村はいくつかあるけれど、村に泊まるメリットがないことから、それらはスルーして夜営するらしい。

ただ、食事は期待しないで欲しい、と言われた。

炊き出しをしていた孤児院は、街外れとはいえ、市街地からそう離れていたわけじゃない。だから、あそこを出てからそう時間が経っていないということは、……次の街までは、丸々距離が残っているということだ。

そして商隊は、余計な荷物になる上に鮮度が落ちる自分達用の食料を、長旅でもないのに無駄に多く積んだりはしない。そんなものを積んだりしなくても、次の街で新鮮なものを仕入れて補充すればいいのだから。

……勿論、車軸が折れたり車輪が壊れたり、そして天候不良で道が泥濘(ぬかる)んだりしての予定外の日数延長に備えての非常食は積んでいるが、それは保存性と携帯性だけを重視した、固くてクソ不味いやつである。

おそらく、夕食はそれになるのだろう。

全部、私のせいだな。

……よし！

＊　＊

「今日は、ここで夜営します」

暗くなり始めると、街道から外れ、街道脇にあるスペース……夜営や休憩、馬車の修理とかのために、所々に作られている待避場所……のひとつに馬車を入れた商人さんが、そう言って馬車を駐めた。

ここで食事をして、その後、草むらに寝転んで眠るのだろう。

荷馬車には、人が寝られるようなスペースはない。そんな空間があれば、その分、商品を積むに決まっている。

勿論、重い物を馬車にぎっちり詰め込むと馬車が動かないし、無理をすれば車軸が折れるし、下の方の商品が潰れてしまう。なので、重さと体積と丈夫さと利益率を考えて、如何に効率的な積荷の選択をするかが、商人の腕の見せ所らしい。

では、食事の準備……保存食だから、準備らしい準備は必要ないらしく、お湯を沸かす程度……が始まる前に……。

「ちょっと、食材を探してきます！」

「あ、おい！　……ちょっと待て、ついていこう」

「馬鹿、女の子がひとりで席を外したがっているんだ、察しろ！」

「あ……」

ハンターのひとりが付き添おうとしたけれど、他のハンターに止められた。

うん、考え過ぎだよ！

どうせここからたいして離れないだろうと思ったのか、そう危険はないと判断したらしく、他のハンター達は軽く手を振っている。

野良巫女である私は、いつもひとりであちこち旅をしていると思われているのだ。街道を外れた場合の危険も、それに対処する方法も身に付けていると思われていて当然だ。

……今現在、私が怪我ひとつなくピンピンしているのが、その何よりの証明だ。

まぁ、こんな待避場所のすぐ近くじゃ、食事に少しでも彩りを加えたいと思った旅人が漁り尽くしているだろうから、食べられる野草の類いとかは何も残ってはいないだろうけどね。

だから、みんなも私が食材を探しに行くというのは口実に過ぎないと思っているわけだ。

いや、実は、本当にそれもあるんだけど……。

だがしかし！

私は、充分な距離を取り、お花摘みを済ませた後、少し時間を潰して……。

＊　＊

「お、早かったな。どうせ他の者に採り尽くされて、食用になるものなんか何も残っていなかっただろ……う……」

私が手にしている山菜と2匹の角ウサギを見て、ぱっかりと口をあけたまま固まっているハンター達。

「ほ、本当に食材を採ってきやがった！　し、しかも、角ウサギまで……」

商人さんと雇われ御者の皆さんも、目が点状態。

……勿論、山菜も角ウサギも、アイテムボックスから出したやつだ。鮮度は抜群！

「お鍋、貸していただけます？」

こくこく、と無言のまま頷く、商人さん。

さすがに、お鍋をアイテムボックスから出すわけにはいかない。

お礼代わりに、鍋料理を振る舞うか……。

＊　＊

「「「「「旨え!!」」」」」

うむうむ、当然である！

私の料理の腕に加えて、ポーションが入れてあるのだから！

醬油のような味がするポーション、限りなく出汁に近いポーション、香辛料、その他諸々。

それらで味付けした、角ウサギと山菜の鍋。旨くないはずがない！

庶民の料理では、『出汁を取る』という文化があまり浸透していないからね、このあたりじゃ。

お腹が膨れて栄養が摂れればいい、っていうのが主目的で、味なんか二の次、三の次だ。

じっくりと何時間も煮込む？

薪だって、ただじゃないんだ。そんな無駄にする分があるなら、冬の暖房用に廻すに決まってる。

……そして、それらの調味用ポーションには、ちゃんとポーションとしての本来の効果も付与してある。

内臓疾患、成人病、古傷、関節の不調、虫歯、歯周病、結石、その他何でも、そっと治癒。

大怪我が一瞬で治るとか、重病人が瞬時に回復するとか、そういう派手に目立つやつではなく、本人の自覚しかない不調が、何となく解消される程度だ。それくらいなら、女神の奇跡とかではなく、女神の気紛れ、くらいで済むだろう。

色々と迷惑を掛けた……今も、継続して掛け続けている……から、少しはお返しをしないとね。

それに、聖女様に親切にすると良いことがある、という噂が流れるのは、私の身の安全に役立つだろう。

先程、食事の前に『皆様に、女神様の祝福がありますように……』とお祈りしておいたから、体調が良くなったのはお祈りのおかげだと思ってくれれば、万々歳だ。

この中では、女性……というか、少女……は私ひとりなので、夕食のお礼も兼ねてか、馬車の荷を少し降ろして、みんながマントやら何やらを提供して、荷馬車内に私の寝床を作ってくれた。

いや～、紳士だねぇ、漢（おとこ）だねぇ！

あ、食事の時に聞いたところ、5人組のハンターの拠点は、今向かっている街とのこと。依頼された仕事を終えての、帰還の途中だったらしい。

そして商隊も、同じ街に店を持つ商人さんが仕立てたものとかで、6人の護衛の人達も、街のハンターギルドに所属している人達だとか……。

そりゃ、5人連れのハンター達と顔見知りなわけだ。

商隊が私達に付き合って引き返してくれたの、私だけじゃなくて、護衛についてくれた5人のハンターを守るという意味合いもあったのかな。

まぁ、だからといって、私からの感謝の気持ちが減るわけじゃないけどね。

今回の商隊は、遠くへ行くわけではなく、近場の街や村を廻って売ったり買ったりする、行商のようなものだったらしい。

だから、『だいたい、いつもは月の半ば頃に来る』とかいう程度のアバウトなスケジュールであり、何日か遅れたくらい、何の問題もないらしい。

たまには、簡単には直せないような馬車の破損で何日も遅れたり、酷い時には途中で打ち切って引き返すこともあるとか……。

まあ、そんなもんだよねぇ、この世界の商隊というのは……。

とにかく、今日はここまで。

みんなが提供してくれた布類のおかげで、固い板の上でも何とか寝られそうだ。

いや、安眠できるポーションとかも作れるよ？

でも、さすがにそういうのに頼っちゃ駄目だよねぇ……。

＊　　＊

朝は、携帯保存食を少し齧り、水で喉に流し込んで、すぐに出発。

さすがに、みんなが目を覚ましたら美味しそうな料理とスープが、とかいうのは、あまりにも不自然なので自粛。

どこから出したんだよ、その食材、ってことになっちゃうからね。

無駄な時間を使わないよう、お湯を沸かす手間すら省略。

ま、昼過ぎには街に到着するのだから、それから腹一杯食べればいいのだろう。ハンター5人組は、仕事を終えての帰りだそうで、懐は暖かいはずだ。

商人さんと護衛の皆さんは……、ごめん、無駄足で、稼ぎにはなっていないよね。

あ、貧乏くじを引いたのは商人さんだけで、護衛と御者の皆さんは日当制、日割り計算だから、問題ないか。

やはり、商人さんには何らかの形で補填しなきゃなぁ……。明らかに、いい人だし。

私が朝食の準備をしなかったのには、私が早起きしてごそごそしていたら、みんなを起こしちゃうというのもあった。みんな疲れているだろうから、ぎりぎりまで寝かせてあげるべきだろう。

……みんな、すぐに気付いて目を覚ますよね？

私が色々とやっているのに気付かずに寝ているとか、護衛失格だし、ハンターとして長生きできないよね。

まあ、ちゃんと交代で不寝番が立っているし、みんなも革の防具を着けたまま、武器を抱えて仮眠しているだけで、不審な物音とかがしたら飛び起きるんだろうけどね。

それもあっての、草むらでばらけての仮眠なんだろうな、多分……。

＊　　＊

そういうわけで、魔物にも、盗賊にも、そして盗賊の振りをした怪しい覆面の4人組とかにも襲われることなく、無事、昼過ぎに街に到着。

道中、不思議そうな顔をして肩を回したり膝を曲げ伸ばしたりして何やら確認している人達がいたけれど、みんな、私の方をちらりと見ただけで、何も言わなかった。

……うん、分かってくれてるねぇ……。

街は、そこそこの大きさ。

城壁で周囲を囲んだ城郭都市とかいうわけではなく、ごく普通の、出入り自由の地方都市だ。

護衛依頼の事後処理があるから、私と5人組のハンターは、そのままハンターギルド支部へ。

……と思ったら、まず商人さんの店へ行って馬車を置き、その後商人さんと商隊の護衛の6人もギルド支部へついてくるとか……。

証人は多い方がいいし、私と契約した5人以外の者が証言した方が、あの兵士達についての説明に関する信憑性が増す、とか……。

言われてみれば、もしあの連中の雇い主である貴族か金持ちが難癖を付けてきた時、ギルドの庇護の手が商隊護衛の方のハンター達にも及ぶためには、全員ワンセットで説明しておいた方がいいか……。

商人さんの方は、商業ギルドが護ってくれるらしい。

恭ちゃんが店を開いた街は小さいから、商業ギルドと職人ギルドがひとつになった『商工ギルド』だったけれど、この街ではそれぞれ独立した別ギルドだとか……。

あの兵士4人組は、あの後は姿を見せていない。

おそらく、こっそり後をつけていたか、雇い主に報告に行ったかの、どちらかだろう。

発見したけれど、護衛のハンターが11人と、更に商人や御者もいたため手出しできなかった、という報告は、おそらくそんなに叱られるようなことじゃないだろうからね。

でも、ということは……。

……来るんだろうなぁ、多分……。

こりゃ、皆さんに迷惑を掛けないためには、しばらくこの街に滞在した方がいいのかなぁ……。

＊　　＊

「おおっ、では、この街に滞在されると！」

ギルドで護衛依頼の事後処理をして事情を説明すると、ギルドマスターが飛んできた。

そしてこれからの予定を聞かれたので、『ずっと野宿だったので、身体が参ってる。しばらくここに滞在して、身体を休めながらのんびりと活動する』と言ったところ、大歓迎された。

どうやらこの街には、野良巫女……というか、『聖女エディス』の名が充分に広まっているらしい。

……何だかなぁ……。

そして、孤児院の場所と、神殿の支社というか出張所というか分社というか、とにかく『小さな神殿』がある場所を教えられた。

……そこへ行って働けってか、オイ！

まぁ、いいけどね……。

とりあえず孤児院には行かないと、落ち着かないし。世間の目というものもあるしね。

それに、ただ私が炊き出しや食材の寄贈をするだけの一過性のものではなく、地元の貴族や金持ちが継続的に支援してくれる道筋を作ることの試験的なことをやってみたい。

ただ一回お腹いっぱい食べられたというだけじゃ、何の救いにもならないからね。

救済するなら、ずっと……、少なくとも、独り立ちして孤児院を出るまでは、餓えと寒さから守らなきゃ、意味がない。

……この街には、『エディス』を守ろうとしてくれるハンター達がいる。

そして、同じく商人さんも。

ならば、少し寄り道をしてもいいか。

時間はある。たっぷりと……。

それに、あの兵士達、もしくはその雇い主が、あるいは、別口の似たような連中が集ってくる頃だ。

迎撃するなら、何もない平原でたったひとりで迎え撃つよりも、陣地で友軍と共に迎え撃つ方が効果的だ……。

書き下ろし　その1　子供達の休日

「……さて、今週もまた、この忌々しい日がやって来たわけだけど……」

みんなの纏め役であるミーネの言葉に、真剣な表情で頷く子供達。

「今までは、カオル様、レイコ様、キョウコ様のうち、誰かおひとりは必ず残られていたけれど、最近は王都や他の街でのお仕事が忙しくなられたのか、それともようやく私達のことを信頼していただけたのか、数日間は私達だけにここの維持管理、事業、そして防衛を任せていただけるようになった。

そして遂に、カオル様達抜き、私達だけで初めてこの忌々しい日を迎えることとなったわけなんだけど……。

はてさて、いったいどうすれば良いのやら……」

皆、困り果てていた。

皆が忌み嫌う日、この『休養日』というものの過ごし方に……。

孤児院時代も、養女だと騙されて無給労働者にされていた時も、『休養日』という概念などなかった。

毎日、明るくなれば起きて働き、2度の粗末な食事を挟み、暗くなれば大部屋で仲間や同僚達と話し、そして寝る。

皆の役に立つことが、生きている意味。

特に孤児院時代は、自分が生き延びることと、いかにみんなのために貢献できるかが全てであった。

そしてその働きに対する御慈悲なのか、女神様達にお仕えすることができた今、皆の思いはひとつであった。

……働きたい。

もっと働いて、女神様のお役に立ちたい。

もっと。もっと。もっと。もっと!!

今はただ、カオル様達のために働き、少しでも多くお役に立ちたい。

……そう思っているのに、何と、『休養日』などという、働いてはいけない日を指定されてしまったのである!

これは、拷問にも等しい暴挙であり、虐待である。

しかも、それを週に2日も設定すると言われ、皆、半狂乱になってカオル様にしがみついた。

そして泣きながら必死で訴え、『週に2日も働くことを禁じられるなら、死んでやる!』と騒ぐことによって、何とか週1日に減らしてもらうことができたのである。

危ないところであったと、ミーネは今でも、あの時のことを思い出す度、背筋に冷たい汗が流れるのであった……。

「それで、『休養日』である今日の過ごし方なんだけど……。
カオル様は、『休養日には遊ぶか、何もせずにゴロゴロするように』って言われたけど、『何もしない』というのと『ゴロゴロする』というのは言葉として矛盾しているから、これはカオル様の言い間違いだと判断して、無効とする。そして『遊ぶ』というのは、私達が楽しくて充実感を得られる行為のことだから……」

「「「仕事をすればいいんだ!!」」」

子供達の声が揃ったが……。

「……いえ、カオル様から、『働いてはいけない』、『仕事をしてはいけない』と言われているから、それは駄目よ。だから……」

「「「だから？」」」

そしてミーネは、自信たっぷりの表情で、こう告げた。

「楽しく、釣りをして遊ぶ。楽しく、それを干物とかに加工するという遊びをする。
お店屋さんごっこをして遊ぶため、それらを街に売りに行く。玩具や工芸品を作るという遊びをして楽しむ……」

「「「おおおおお！」」」

さすが、ミーネである。冴え渡る頭脳！

皆は、この中での最年長者ではないものの、ミーネを自分達のリーダー役と決めた判断の正しさに、満足の声を上げたのであった。

＊　＊

「じゃ、イリーとリュシーは加工品をお得意様に納入。……という、『お店屋さんごっこ』をして遊ぶ。それが終わったら、市場に回って加工用の海産物を仕入れる……という、『お買い物ごっこ』をして遊ぶ。その間、私は新規顧客開拓のための営業活動……という、遣り手の店員さんなりきりごっこをして遊んでいるからね。

フリアとアラルは、ここの防衛という、『拠点防衛戦ごっこ』をして遊んでいること。いい？」

「「「了解！」」」

レイコの真似をして、敬礼のような仕草をしながら、そう声を揃える子供達。

ここの防衛、というのは、まだ幼いアラルは安全のため留守番をさせ、そのお守りとしてフリアを残すというだけのことなのであるが、『留守番』などと言うとアラルがごねるため、重要任務っぽく言っているだけなのであろう。

……いや、それは、子供達にとっては本当に重要任務なのかもしれない。

ここの加工品の製造法を狙っている者がいないとも限らないし、カオル達の財産が隠されていると思っている者がいるかもしれない。なので子供達は、ここを無人にするつもりはなかった。

ひとりでも残っていれば、その者は、ここを守るために命懸けで戦う。

……文字通り、死ぬまで。

そして、軽い気持ちで盗みに入る者は大勢いても、軽い気持ちで子供を殺せる者は、そう多くはない。

やはり、アラルもフリアも、立派な『リトルシルバー』の一員なのであった。


イリーとリュシーは10歳と7歳であるが、市場での仕入れには、何の心配もない。

子供達だけで仕入れを行うのはいつものことであるし、それを加工して店に納入する時、それが市場で誰から仕入れたものかを居酒屋や食堂の料理人に伝えるし、そしてお店では客に出す時に製造者と素材の仕入れ先の名を教えることになっている。

……つまり、おかしな品を『リトルシルバー』に売りつけた者は、一瞬のうちに業界内で名を落とすことになるわけである。

傷んだ不良品を平気で売りつける店。

元孤児達が懸命に働いているところを騙し、食い物にする店。

領主様が一目置き、懇意にしているところに喧嘩を売るような店。

……僅かな儲けのために、そんな悪評が広まることを甘受する商人などいるわけがなかった。

つまり、この街には『リトルシルバー』の者を騙すような者はいない、ということである。

「……よし、『女神のしもべ』、行動開始！」

「「「おおっ!!」」」

カオル達がいない場合にのみ使う、自分達のチーム名を決めているらしい、子供達であった……。

＊　＊

「ただいま～」

「「「「お帰りなさいませ、カオル様!!」」」」

「……お、おう……。あ、あの、もっと普通にしていいんだよ、『店長、おかえり～！』とかさ……」

昔の、『女神の眼』のみんなは、もっとフランクな喋り方をしてくれていた。『カオル、ゴロゴロしていたら掃除の邪魔！』とか、『たまには外に出てお日様の光を浴びないと、身体にカビが生えちゃうよ！』とか……。

なのに、『リトルシルバー』の子供達は、いつまで経っても硬さが取れない。

それを少し寂しく思うカオル。

（同じ孤児だし、私が買った家に住まわせているのも、家事を任せてるのも同じなのに、なぜ

（あ！　私がちゃんと働いているのがいけないのか？　昔のように、もっとぐうたらして、駄目人間になれば、みんなも私を見下(みくだ)して対等に扱ってくれるように……）

何だか、駄目な方に考えを進めているカオルであった。

「……それで、私達がいない間の休養日は、ちゃんと遊んだり休んだりしてた？」

「「「「はいっ!!」」」」

そして、元気にそう答える、子供達であった……。

書き下ろし　その2　ＫＫＲ

ここは、日本の某大学である。

受験戦争を勝ち抜き、やれやれとひと息入れている者もいれば、アルバイトをする暇もなく研究や実験に明け暮れる理系の学生もいる。

理系には、寒天培地での微生物の培養で毎日研究室に顔を出したりと、文系の者には分からない苦労が多いのである。

薬学部、看護学部、医学部等も忙しいが、化学系・生命系もかなり忙しい。

とにかく、実習や実験、レポートが多いのが厳しい。

決して機械系学科が暇だというわけではないが、機械ならばちゃんと作って正しく操作すれば望むとおりに動いてくれるが、生物相手の実験は、相手が思うとおりに動いてくれないことが多い。

その結果、実験が長引いたり失敗したり、そして予定外の結果となりレポートがうまく書けなくなったり……。

そんな理系の学部を選んだ、３人の女性達がいた。

「恭ちゃんは？」

「……あ、あそこで引っ掛かってるみたい」

礼子が指し示す方を見ると、男子学生ひとりと、女子学生ふたりが、何か揉めている。

……そしてその女子学生のひとりが、恭子であった。

「あ～、いつものヤツかな？」

「いつものヤツだろうねぇ……」

「また、ＫＫＲの出番かな？」

「そうだろうねぇ……」

ＫＫＲ。

香、恭子、礼子の３人の頭文字を繋げた呼び名である。

勿論、自分達がそう名乗り始めたわけではない。大学生になってそれは、さすがに痛い。

いつの間にか勝手にそう呼ばれるようになり、それを追認したような形であった。

他の学生達からは、３人はそれぞれ聖女の恭子、知恵の礼子、無慈悲の香、と呼ばれている。

最後のヤツは、ＫＫＲに喧嘩を売った者達のうち、多くが悲惨な目に遭っているからである。

……しかし、自分達での認識は、ちょっと違う。

恭子：知謀の礼子、お人好しの香、常識人の恭子
礼子：トラブルメーカーの恭子、お人好しの香、常識人の礼子

香　：謀略の礼子、災厄を呼ぶ恭子、常識人の香

みんな、自分だけが常識人だと思っていた。中学で出会ってから、ずっと……。

礼子と香からの、恭子に対する評価が酷いが、別に恭子が悪人だというわけではない。

……その、逆である。

明るくいつも笑顔で、ふわふわしていて、誰に対しても優しく、そして正義感に溢れている。

おまけに美人で、成績も悪くない。

それだけを聞けば、すごく素敵な女性に聞こえる。

いや、事実、会った者は男女を問わず、皆、恭子のことを女神か聖女だと思う。

……何も知らずに……。

恭子は、正義感に溢れている。その過剰な正義感が、ドバドバと溢れて……。

なので、困っている者がいれば、何も考えずに首を突っ込む。周囲の状況や力関係、その他諸々を考慮せずに……。

なのでいつも、礼子と香が苦労することになるのである。


「ちょっとそこの男子ぃ～！　何やってんの？」

仕方なく、揉めている3人に近付き、声をかける香。

女子小学生が掃除をサボっている男子に掛ける言葉みたいなのは、勿論、わざとである。

「うわっ！」

……微笑みながら声を掛けたのに男子学生が驚きの声を上げて飛び退ったことに、少し苛立つ香。

（……いい。別に気を悪くしたりしない。少し腹が立つだけだ。もう、慣れた……）

そして、恭子に向かって……。

「緊急事態の概要を述べよ！」

「女性からの別れ話に男性が激昂、摑み掛かろうとしていたので仲裁に入ったら、男性から『お前がつきあってくれるなら、コイツとは別れてやる』というふざけた御提案をいただいたの。……うふ」

「「あああああっっ！」」

恭子が微笑み、そして香と礼子が悲鳴を上げた。

「恭ちゃんの、『うふ』が出たわよ……」

「またひとり、悪人が地獄に落ちる……」

そう、恭子の正義の怒りがあまりにも大きすぎて笑顔になってしまい、……そして可愛らしい声を溢した時。

それは、悪が滅びる時であった……。

「いいわよ。私があなたとつきあってあげても……」

「マジか！」

優しそうなふわふわ美人である恭子にまさかの『つきあい了承』の返事を貰い、喜ぶ男。

そして、上着を脱ぎ、両手の指を曲げ伸ばしした後、腰を落として構えを取る恭子。

……そう、突き合う体勢である。

「「何じゃ、そりゃあああああ‼」」

男性だけではなく、女性の方も驚いている。

（そう、恭ちゃんっていうのは、こういうヤツなんだよ……）

心の中で、そう呟く香。

「恭ちゃん、子供の頃から拳法習ってるよね？　そしてかなり強いよね？」

そう、ふわふわした外見のくせに、恭子は、結構強かった……。

「うん。段位は取ってないけどね。段位取ってると、何かあった時に少し不利になるかもしれないから」

（何か、って、何だよ！）

心の中での突っ込みが止まらない、香。そして……。

「剣道も習ってたよね？」

「正確には、剣術道場だけどね。近くに棒切れや鉄パイプがあった場合、素手よりかなり有利だから。……そして、そっちも伝位は取っているけど、段位は取ってない」

「何かあった時に、少し不利になるかもしれないから？」

「うん！」

（まあ、鉄パイプを使っている時点で、既に段位の有無なんか関係ないとは思うけどね……）


「……では、合意とみてよろしいですね？」

そしてなぜか、突然仕切り始める礼子。

「……待て！　待て待て待て待て待てえぇぇっ!!」

「では、レディ……、ファイト！」

「待てとゆーとろーがあああぁっ!!」

焦りまくり、叫ぶ男。


……ドスッ！


「ぐあっ……」

くぐもった呻き声と共に、男は地面に頽れた。

どうやら、『突き合う』ところまで行かずに、突かれただけで終わったようである。

「このまま放置するわけにも行かないか……。

あ～、誰か、コイツの友人か同じゼミのヤツを知らない？　知ってたら呼んできてくれないかな？

何なら、ゼミの教授とかでもいいよ。本人の為には、教授じゃない方がいいかもしれないけどね」

香は、こんなヤツにも、割と優しい。

「コイツ、確かに私とつきあえればあなたと別れる、って言ったよね？　だから、もうあなたは自由の身よ。もしコイツがまた纏わり付いてきたら、私を呼んで。何度でも突き合ってあげるから。はい、これ、私の連絡先ね」

恭子は、割と厳しい。

「一応、恭子が状況を説明してもあの男がその内容を否定しなかったところ、恭子と『突き合う』という件を大喜びで受け入れているところとかは、スマホで録画しといた。ストーカー化して警察に届ける時には、コピーしてあげる。

あ、ネットに流すなら、あなたと香、恭子の顔はモザイクかけるから、言ってね」

礼子は、かなり厳しい。

しかしなぜか、いつも、優しい部分は恭子が、そして厳しい部分は香がやったこととして話が広まるのである。

そして後でそれを知った香がいつも、『目付きか！　目付きのせいかあああぁ～～!!』と叫び、礼子に『そんな、クリリンのことか～、みたいに言われても……』と肩を竦められるのであった。

「今回も、一件落着！　いやあ、いいことをした後は、気持ちがいいよね！」

「「…………」」

楽しそうな恭子と、溜息を吐く礼子と香。

いつものことである。

別に、礼子と香は、大学の治安維持とか正義の味方とかがやりたいわけではない。

……ただ、いつも恭子が揉め事を引っ張ってくるだけなのである。

そしてこの３人が揃えば、大抵のことは、何とかなる。……なってしまう。

そのため、今回のようにたまたま引っ掛かることもあれば、噂を聞いた女子学生が助けを求めて来ることもある。

その縋る手を払い除けることができるような３人ではなかった。

そしてまた、噂が広まることとなる。

『香・恭子・礼子』

出来るべくして出来た、女子学生達の守り神であった……。

あとがき

『ポーション』です、第9巻です！

そして２０２３年2月に、本作『ポーション頼みで生き延びます！』のアニメ化が発表されました。

小説家になって、３作品を書いて、その全てが現在も連載が続いています。

そして3作品全てが書籍化、全てがコミカライズ、全てがアニメ化……。

小説家として、まさかこのような僥倖に恵まれようとは……。

ひとりだけ取り残されていたカオルも、ようやくマイルとミツハに肩を並べることができて、嬉しいです。

やはり、『12～13歳に見えるちっぱい少女3部作』としては、みんな仲良く並んで欲しかったので、カオルだけ取り残されているのは少し辛かったのですが、３作品全てがアニメ化されることなどあり得ないと、『ポーション』のイラストレーターさん、漫画家さん達には申し訳なく思いながらも、完全に諦めていました。

そんな悩みなど、他の作家さんから見れば、『ふざけんな！』と言われるだろうとは思いましたが、それでも、私の小説のイラストやコミカライズを引き受けて下さった方々の内、『ポーション』関連の方だけがアニメ化なし、というのは、申し訳なく……。

それが、何と、3作目のアニメ化！

3打数3ホームラン……。

信じられるかあぁっ!!

担当さんから初めてお話を聞いた時、「まだ決定じゃありませんが……」とのお言葉に、「あ、多分これ、ポシャるんだ……」と思っていました。

それが、まさかのアニメ化決定!!

これも全て、読者の皆様のおかげです。ありがとうございます！

担当編集様、イラストレーターのすきま様、装丁デザイナー様、校正校閲様、その他印刷製本、流通、書店等の皆様、そしてこの本を手に取って下さいました皆様に、心から感謝致します。

ありがとうございます！

そして、次巻でまた、お会いできますよう……。

FUNA（ふな）

ポーション頼みで生き延びます！9

FUNA

2023年2月28日第1刷発行

発行者	森田浩章
発行所	株式会社 講談社 〒112-8001　東京都文京区音羽2-12-21
電　話	出版　(03)5395-3715 販売　(03)5395-3608 業務　(03)5395-3603
デザイン	ムシカゴグラフィクス
本文データ制作	講談社デジタル製作
印刷所	株式会社KPSプロダクツ
製本所	株式会社フォーネット社

KODANSHA

ISBN978-4-06-531305-3　N.D.C.913　289p　19cm
定価はカバーに表示してあります

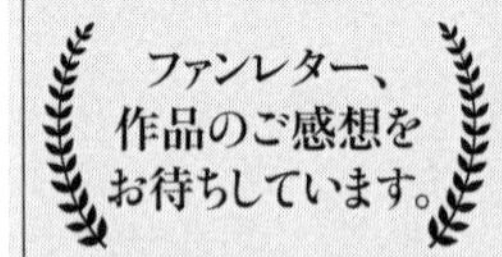

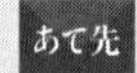

〒112-8001　東京都文京区音羽2-12-21
(株) 講談社　ラノベ文庫編集部 気付
「FUNA先生」係
「すきま先生」係